음경수술

Penile Surgery

음경수술
Penile Surgery

1판 1쇄 인쇄 | 2020년 4월 25일
1판 1쇄 발행 | 2020년 5월 20일

저   자   대한남성과학회
발 행 인   장주연
출 판 기 획   장서준
책 임 편 집   박미애
편집디자인   인지혜
표지디자인   김재욱
일 러 스 트   유학영
발 행 처   군자출판사 (주)
　　　　　등록 제 4-139 호 (1991. 6. 24)
　　　　　본사 (10881) **파주출판단지** 경기도 파주시 회동길 338(서패동 474-1)
　　　　　전화 (031) 943-1888 팩스 (031) 955-9545
　　　　　홈페이지 | www.koonja.co.kr

ISBN   979-11-5955-564-0
정가   50,000원

편찬위원회

편찬위원장

문두건 (고려의대)

편찬위원

김수웅 (서울의대)

문경현 (울산의대)

박현준 (부산의대)

박홍재 (성균관의대)

안순태 (고려의대)

집필진

곽태일 (드림온비뇨기과)

김세웅 (가톨릭의대)

김수웅 (서울의대)

김태곤 (영남의대)

류지간 (인하의대)

문경현 (울산의대)

문기학 (영남의대)

문두건 (고려의대)

박광성 (전남의대)

박남철 (부산의대)

박성찬 (울산의대)

박종관 (전북의대)

박현준 (부산의대)

박홍재 (성균관의대)

신유섭 (전북의대)

신홍석 (대구가톨릭의대)

안순태 (고려의대)

우승효 (을지의대)

윤동희 (타워비뇨기과의원)

이동섭 (가톨릭의대)

이웅희 (동서울병원 비뇨의학과)

장수연 (엘제이비뇨기과의원)

정우식 (이화의대)

현재석 (경상의대)

발간사

음경수술은 선천성 기형의 교정수술과 재건성형 및 미용성형수술로 나눌 수 있습니다. 1990년대에 이르러 현대의학적 개념의 선천성 음경기형에 관한 수술이 소개되기 시작하였습니다. 서구사회와 달리 아시아권, 특히 우리나라에서는 다양한 음경수술이 시행되고 있습니다. 특히, 2000년대에 들어서 우리나라 남성들의 수명증가와 발기부전 치료제가 널리 사용되기 시작하면서 성생활에 대한 인식의 변화와 함께 선천성 음경기형 이외의 성기능 향상을 위한 다양한 음경수술이 시행되고 있습니다.

1990년대 중반 대한남성과학회에서 음경수술심포지엄을 개최한 바가 있습니다. 이후 대한남성과학회는 연례 학술대회와 교과서 등 관련 책자발간을 통해 각종 음경수술에 대한 표준 술식을 정립하고 필요성과 장단점에 대한 교육과 홍보를 지속적으로 시행해 왔습니다. 2016년 국내 저자들이 주축이 되어 출간하였던 'Penile Augmentation'은 음경확대술에 대한 영문 책자였습니다. 2019년 1월 '대한남성과학회-대한비뇨의학과의사회 음경성형워크샵-Asian Society for Penile Surgery(ASOPS) 공동 심포지엄'에서도 음경 수술에 대한 학문적 관심과 수요는 지속적으로 증가하고 있음이 확인되었으며, 최근 유튜브의 활성화와 함께 다양한 음경수술 영상에 대한 수요도 증가하고 있습니다.

음경확대성형수술은 아직까지도 필요성에 관한 논란에도 불구하고 표준술식에 대한 실용적인 저서가 없었기 때문에 부작용이나 합병증에 시달리는 의사와 환자도 증가하고 있습니다. 이에 대한남성과학회에서는 선천성 음경기형이나 음경확대수술이외에도 다빈도 음경수술을 중심으로 기존의 서술위주의 수술책자와 달리 도감위주의 세밀하고 알기 쉬운 삽화를 통해 실용적인 한글 수술 책자로 발간하고자 하였습니다. 이번 한글 음경수술 도감이 비뇨의학 전문의뿐만 아니라 전공의 선생님에게도 많은 도움이 되기를 바라며, 이를 통해 더욱 많은 환자들도 제대로된 음경수술의 혜택을 누리기를 바랍니다.

2020년 3월

편찬위원장 문두건

음경 수술_차례

PART

01

음경 수술 해부학

개요

음경 수술 해부학

개요

김세웅 · 가톨릭의대

1. 음경 해부

음경은 고환과 더불어 남성의 외부 생식기관을 구성하는 중요한 신체기관이며, 남성 성기능은 정상적인 남성호르몬의 영향하에 음경해면체와 음경동맥 및 정맥, 발기신경 등이 제대로 구성되어야 정상적인 기능을 유지할 수 있다. 따라서 음경 수술에 있어 최선의 결과를 얻기 위해서는 음경 해부 구조에 대한 정확한 지식을 습득할 필요가 있다.

1) 음경(Penis)

음경체(body)는 3개의 원통형 조직, 즉 음경 사이막으로 구분되어 있는 한 쌍의 음경 해면체(corpus cavernosum)와 한 개의 요도 해면체(corpus spongiosum)로 이루어져 있다. 음경체의 기시부는 윤상인대(fundiform ligament)와 현수인대(suspensory ligament)에 의해 치골(pubis)에 연결되어 지지를 받는다. 음경의 뿌리 부분인 음경근(root)은 비뇨생식횡경막(urogenital diaphragm)과 치골궁(pubic arch)에 부착되어 있으며 음경해면체가 음경각(crura)을 형성한다. 음경각의 끝 부분은 좌골치골지(ramus of ischium)의 하방에 붙어 고정되어 있으며 좌골해면체근(ischiocabernous muscle)이 덮고 있다. 요도 해면체의 끝 부분은 원위부로 갈수록 크게 팽대되어 음경 귀두(glans)가 된다(그림 1).

음경의 피부 조직은 피하지방이 없어서 매우 얇고 신축성이 좋으며 음경의 끝에서는 귀두 바깥 면에 포개어져서 음경포피(prepuce)를 형성한다. 음경의 피하조직은 3개의 원통형 조직을 둘

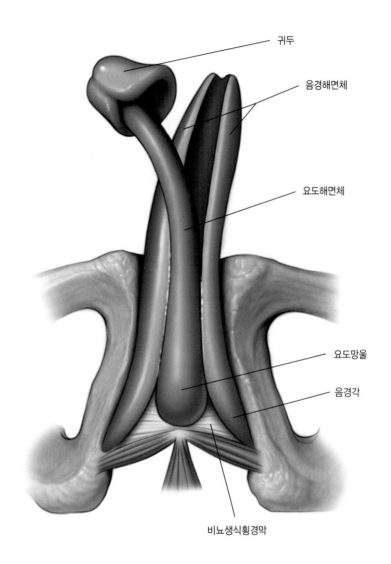

귀두

음경해면체

요도해면체

요도망울

음경각

비뇨생식횡경막

그림 1 음경의 3개의 원통형 조직

러 싸며, 지방이 없고 평활근육세포(smooth muscle cell)가 많다. 피하조직 아래로 표재근막(Dartos fascia)과 심부근막(Buck's fascia)이 음경해면체와 요도해면체를 둘러싸고 있으며 음경해면체는 아교질(collagen)이 풍부한 백색막(tunica albuginea)에 의해 둘러싸여 있다. 백색막은 바깥쪽의 세로 섬유층(outer longitudinal layer)과 안쪽의 환상 섬유층(inner circular layer)으로 구성되어 있다. 백색막은 발기 상태를 유지하는 데에 직접적인 작용을 하며, 음경이 발기된 상태에서는 탄력성

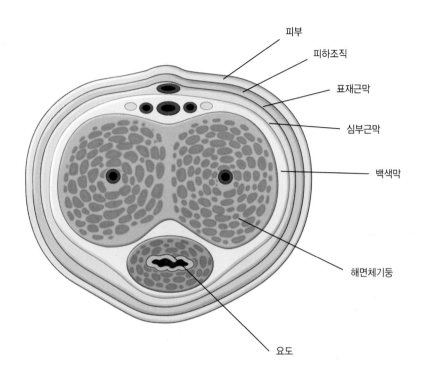

피부
피하조직
표재근막
심부근막
백색막
해면체기둥
요도

그림 2 음경의 단면도

이 떨어지고 두께가 얇아지므로 음경이 발기된 상태에서 외상 시 파열될 수 있다. 또한 백색막 내에 생긴 섬유화 결절이 백색막의 팽창을 방해하여 발기될 때 음경이 구부러지는 페이로니 병 (Peyronie's disease)을 일으킬 수도 있다. 백색막으로 둘러싸인 음경해면체는 내부에 수많은 정맥들로 구성이 되어 있으며, 음경해면체 내부의 해면체 기둥(cavernosum trabecular)은 백색막과 연결된 구조물로 결합조직인 아교섬유, 탄력섬유, 평활근섬유 등으로 이루어져 있다. 이 평활근의 이완과 수축에 따라 발기가 조절된다. 요도해면체를 둘러싸고 있는 막은 음경해면체의 백색막 보다는 얇지만 탄력섬유와 평활근 섬유가 많이 포함되어 있어 탄력성이 높다(그림 2).

2) 음경 동맥(Arterial supply)

음경피부에 혈액을 공급하는 표재음경동맥(superficial penile artery)은 외음부 동맥(external pudendal artery)에서부터 분지된다. 음경과 음경요도는 한 쌍의 내음부동맥(internal pudendal artery)

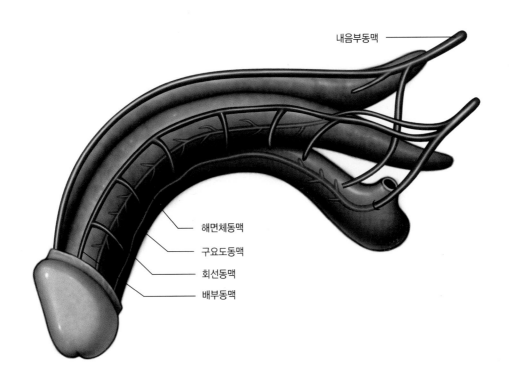

내음부동맥

해면체동맥
구요도동맥
회선동맥
배부동맥

그림 3 음경의 동맥 분포

에 의해서 혈액을 공급받는다. 내음부동맥에서는 해면체동맥(cavernosal artery), 구요도동맥(bul-bourethral artery), 배부동맥(dorsal artery), 회선동맥(circumflex artery)이 분지된다(그림 3). 음경 발기 조직에 동맥혈을 공급하는 주된 혈관은 해면체동맥이고, 배부동맥에서 나온 회선동맥이 음경 백색막을 통과해 해면체 조직에 혈액을 공급한다.

3) 음경 정맥(Venous drainage)

음경피부와 피하조직에서 배출되는 정맥혈은 표재배부정맥(superficial dorsal vein)을 통해 외 음부정맥(external pudendal vein)으로 배출된다. 귀두, 요도해면체, 음경해면체의 원위부에서 나 온 정맥혈은 회선정맥(circumflex vein)과 심배부정맥(deep dorsal vein)을 통해 배출된다. 이는 전립

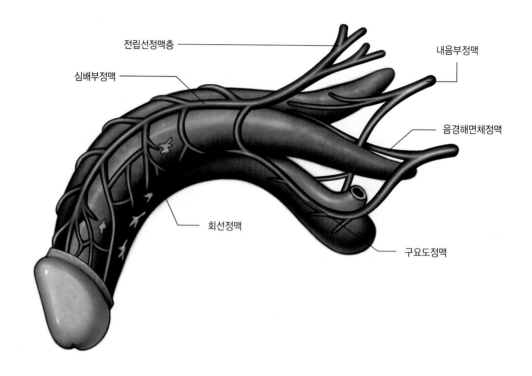

전립선정맥총

심배부정맥

내음부정맥

음경해면체정맥

회선정맥

구요도정맥

그림 4 음경의 정맥 배출

선 정맥총(prostatic plexus)과 합쳐진 후 내음부정맥(internal pudendal vein)으로 배출된다. 음경 근 위부의 혈액은 도출정맥(emissary vein)을 통해 음경해면체정맥(cavernosal vein)으로 배출된다. 양 측 음경 해면체정맥은 음경각 사이에서 주음경해면체정맥(main cavernous vein)으로 합쳐지면서 내음부정맥(internal pudendal vein)으로 이어진다(그림 4).

4) 림프 계통(Lymphatic drainage)

음경피부에서는 표재성 서혜부 림프절(superficial inguinal lymph node)과 서혜부하 림프절 (subinguinal lymph node)로 림프액이 배출되며, 음경귀두에서는 서혜부하 림프절(subinguinal lymph node)과 외장골 림프절(external iliac lymph node)로 배출된다. 음경체와 요도에서는 표재성 서혜부 림프절(superficial inguinal lymph node)과 심서혜부 림프절(deep inguinal lymph node)을 지나 외장골 림프절(external iliac lymph node) 및 총장골 림프절(common iliac lymph node)로 배출된다.

5) 신경 분포(Nerves)

체신경계는 천수절(S2-4)에서 기원한다. 음부신경(pudendal nerve)은 알콕관(Alcock canal)을 통과하여 음경배부신경(penile dorsal nerve), 회음부신경 및 하직장신경(inferior hemorrhoidal nerve)으로 분지되며, 이 중 음경배부신경은 음경해면체, 요도해면체 및 요도에 분지를 내고 음경배부동맥을 따라 주행하여 귀두와 음경 피부의 감각 신경에 관여한다. 음경의 발기에 관여하는 음경해면체신경(cavernous nerve)은 자율신경계의 지배를 받으며 자율 신경은 척수의 흉요수절(T12-L3)에서 발생하는 교감 신경과 천수절(S2-4)에서 발생하는 부교감 신경으로 구성된다. 골반신경총에서 나온 음경해면체 신경은 전립선의 후외측을 따라 전립선 및 직장에 매우 근접하여 주행하며 음경해면체와 요도해면체 안으로 들어간다. 일반적으로 부교감신경은 발기를 일으키며, 교감신경은 사정 및 발기의 해소에 관여한다.

참고문헌 ....

• 대한비뇨기과학회. 비뇨기과학. 5th ed. 일조각 2014; 35-36.
  Sam D. Graham Jr., Thomas E. Keane. Glenn's Urologic Surgery. 7th ed. Lippincott W&W 2009; 465-466.

• Henry Gray. Gray's Anatomy. 20th ed. Lea and Febiger 1918; 1250.

• HG Kim, CM Park, SO Kwon, HJ Kim, JY Park. Precise Anatomical Location of the Autonomous Nerve from the Pelvic Plexus to the Corpus Cavernosum. Korean J Urol 2006; 47: 876-881.

• By Alan J. Wein, MD, PhD (Hon), FACS, Louis R. Kavoussi, MD, MBA, Alan W. Partin, MD, PhD and Craig A. Peters, MD, Campbell-Walsh Urology, 11th ed. Elsevier 2016; 511-513.

• Devine CJ Jr, Angermeier KW. Anatomy of the penis and male perineum. AUA Update Series 1994; 13: 10-23.

• Breza J, Aboseif SR, Orvis BR, Lue TF, Tanagho EA. Detailed anatomy of penile neurovascular structures: surgical significance. J Urol. 1989; 141: 437-43.

음경 수술

PART

—————

02

PENILE SURGERY

페이로니병

개요

개요

안순태 · 고려의대

페이로니병은 음경의 백막에 섬유성 판(plaque)이 생겨 발기 시 음경의 만곡, 길이 단축, 통증 등 음경의 변형과 관련된 증상을 일으키는 병이다(그림 1). 명확한 원인은 불분명하지만 음경의 작은 상처가 치유되는 과정에서 국소 염증과 콜라겐 침착을 유발하여 섬유성 판을 형성하는 것으로 알려져 있다.

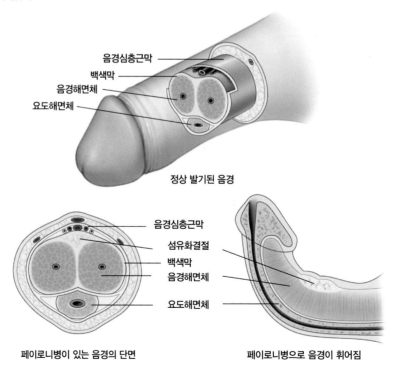

음경심층근막
백색막
음경해면체
요도해면체

정상 발기된 음경

음경심층근막
섬유화결절
백색막
음경해면체
요도해면체

페이로니병이 있는 음경의 단면

페이로니병으로 음경이 휘어짐

그림 1 정상 음경과 페이로니병 음경

페이로니병의 치료는 질병의 급성기 혹 활성화 시기와 만성기 혹 안정화 시기에 따라 상이하다. 대부분의 페이로니병 환자들은 약 6-18개월 정도의 급성기를 겪게 된다. 이 시기에는 보통 약물치료를 일차적으로 시행하며 급성기 동안 음경의 기형을 최소한으로 안정화시켜 질병의 진행을 막고자 한다. 급성기 이후 음경의 만곡을 비롯한 음경의 기형이 안정화되는 만성기가 이어진다. 이 시기에 안정된 음경의 기형의 교정을 위한 가장 확실한 치료는 수술적 방법이다. 수술적 치료는 6개월 정도의 질병이 안정화된 상태로 통증이 없는 음경의 기형, 그리고 이로 인해 만족스런 성교를 할 수 없는 환자들을 대상으로 시행하게 된다. 이외에 광범위한 섬유성 판의 존재, 보존적치료에 불응하는 경우, 보다 확실하고 빠른 치료를 원하는 환자에게 시행하게 된다(표 1).

표 1 수술 적응증

수술
• 6개월간 통증이 없고 안정된 기형 (페이로니병 안정기)
• 성생활의 불가능 혹은 방해
• 광범위한 섬유성 판의 석회화
• 보존적 치료에 불응
• 환자가 가장 빠르고 확실한 치료를 원함

표 2 페이로니병 수술 알고리즘

페이로니병 수술
I. 수술 전 발기능이 충분한 경우 (약물 요법 유무에 관계없이)
1. 음경 단축술
– 음경 만곡도 60–70도 미만
– 불안정한 모래시계 기형 혹은 경첩 기형 등 동반 기형 없음
– 충분한 음경 길이
2. 음경 연장술
– 음경 만곡도 60–70도 이상
– 모래시계 기형 혹은 경첩 기형 등 동반 기형 있음
II. 수술 전 약물 불응성 발기 부전 보이는 경우
1. 음경 보형물 삽입

환자에게 이상적인 수술 절차를 결정하려면 철저한 수술 전 평가가 필수적이다. 여기에는 질병 발병 시기, 발기 기능, 통증, 음경의 기형에 중점을 둔 상세 내역이 포함된다. 이학적 검진에서 섬유성 판의 크기와 위치를 촉진을 통해 확인해야 하며 음경의 이완된 상태에서 잡아당긴 (stretched flaccid penile length) 길이를 측정해야 한다. 만곡정도, 발기 반응, 석회화, 동반 음경기형 (hinge, indention) 유무를 객관적으로 평가하기 위해 발기제 주입 후 도플러 초음파를 시행하면서 평가하는 것이 도움이 된다.

수술적 방법은 크게 음경 단축술과 음경 연장술로 나뉠 수 있다. 음경 단축술의 경우 수술 전 음경의 강직도 및 음경 길이가 충분하며 음경 만곡정도가 60-70도 미만이면서 음경에 모래 시계 변형과 같은 동반된 기형이 없는 경우 시행하게 된다. 반면, 음경 연장술은 음경의 만곡정도가 60도 이상이면서 음경에 경첩(hinge) 혹 모래시계 변형이 존재하거나, 광범위한 섬유성 판의 석회화가 동반되고 발기능에 이상이 없는 환자에게 이상적으로 시행할 수 있다. 수술 전 경구약물(phosphodiesterase type 5 Inhibitors)에 반응이 없는 발기 부전을 보이는 환자들의 경우 음경 보형물 이식이 권장된다(표 2).

마지막으로 수술 전 설명 시 환자에게 적절한 결과 기대치를 설정하는 데 중요하다. 수술 후 지속적 또는 반복적 음경의 만곡, 발기 음경 길이 손실, 음경 강직도 감소 및 음경의 감각 감소를 포함한 수술과 관련한 잠재적 합병증에 대해 논의 및 상담하는 것이 필수적이다.

참고문헌 ···

• Mulhall JP, Schiff J, Guhring P. An analysis of the natural history of Peyronie's disease. J Urol. 2006;175:2115-8.

• Chung E, Ralph D, Kagioglu A, et al. Evidence-Based Management Guidelines on Peyronie's Disease. The journal of sexual medicine. 2016;13:905-23.

• Ostrowski KA, Gannon JR, Walsh TJ. A review of the epidemiology and treatment of Peyronie's disease. Research and reports in urology. 2016;8:61-70.

CHAPTER

01

백막단축술

류지간 · 인하의대

백막단축술(tunical shortening procedures)에는 Nesbit 술식, Yachia 술식, 주름성형술(plication technique) 등이 있고, 술자의 선호도에 따라서 각각의 술식이 단독 또는 복합적으로 적용될 수 있다. 본 장에서는 백막단축술의 수술기법에 대해서 단계적으로 알아보고자 한다.

1. 병합수술

1) 환자준비

수술 전 1세대 세팔로스포린(cephalosporin) 계열의 항생제를 1회 투여한다. 복재정맥을 이식편으로 이용할 때는 frog-leg 자세를 취하지만 백막단축술을 시행할 경우에는 앙와위(supine position)로 준비를 한다. 저자의 경우 전신마취하에 Nesbit 및 Yachia 술식을 주로 이용한다. 주름성형술은 국소마취하에서도 시행될 수 있다.

2) 피부절개

환상절제술(circumcision) 부위의 절개를 통해서 음경기저부까지 피부를 박리하면 대부분의 음경기형에 대처할 수 있는 좋은 시야를 확보할 수 있다. 환상절제술을 받지 않은 환자의 경우에는 술 후 감돈포경, 림프부종, 상처합병증 등을 감소시키기 위해서 일반적으로 환상절제술을 시행한다. 피부박리 시 반드시 Buck's 근막 바깥층인 dartos 근막을 포함해야 하고, 전기소작보다는 metzenbaum을 주로 이용한다(그림 1A). 인공 음경발기 유발을 위해서 음경기저부를 압박

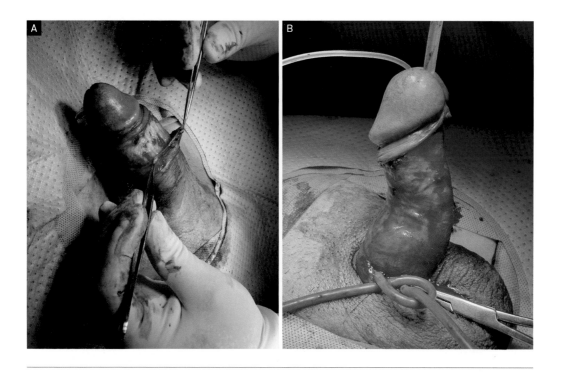

그림 1 음경피부 절개 및 음경기저부까지의 박리

할 때도 음경피부가 포함되지 않도록 주의를 해야 한다(그림 1B). 이러한 과정은 술 후 음경피부의 허혈 및 괴사를 막는 데 도움이 된다.

3) 인공음경발기(Artificial erection test)

인공음경발기는 음경만곡의 정도와 최대 음경만곡 부위를 정확하게 평가하기 위해서 시행한다. 음경기저부를 밴드로 압박한 후 21 게이지 두피정맥바늘(scalp vein needle)을 음경해면체에 꽂은 후에 생리식염주를 주사해서 음경발기를 유발한다(그림 1B).

이후 최대 음경만곡 또는 축소(narrowing) 부위를 표시한다. 그 외 prostaglandin E1 또는 trimix (papaverine, phentolamine, prostaglandin E1)와 같은 혈관확장제를 이용해서 음경발기를 유발할 수 있다. 그러나 약물유발 인공발기의 경우 완전한 발기가 일어나지 않아서 음경만곡을 과소평가할 가능성이 있기 때문에 저자의 경우에는 음경기저부 압박 후 생리식염수를 주입하는 방법을 더 선호한다.

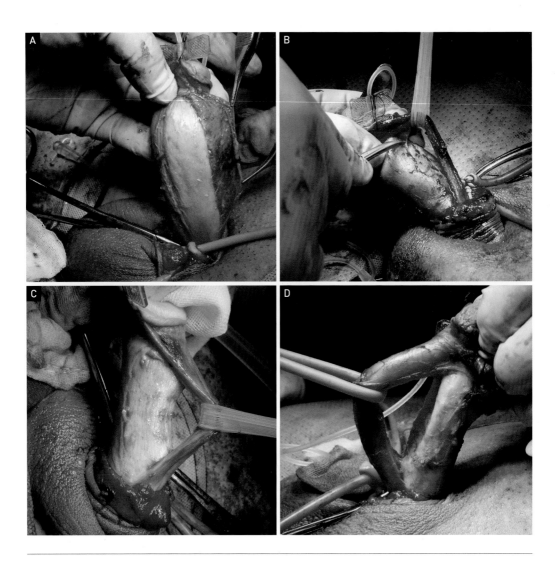

그림 2 음경 배부 신경혈관다발 및 요도의 박리

4) 배부 신경혈관다발 및 요도의 박리(Dissection of dorsal neurovascular bundle or urethra)

복측만곡(ventral curvature)의 경우 음경백막의 접근을 위해서 배부 신경혈관다발을 박리해야 하는데 이에는 두 가지 방법이 있다. 첫 번째 방법은 신경혈관다발의 손상을 최소화하기 위해서 음경체부의 3시, 9시 방향에서 Buck's 근막에 종절개를 가하고 내측방향으로 박리하는 것이다(lateral to medical approach)(그림 2A, B, C). 두 번째 방법은 음경 배부 정중앙 부위, 즉 12시 방향에서 Buck's 근막에 종절개를 가하고 외측 방향으로 박리하는 것인데(medial to lateral approach),

이 경우 심부배부정맥(deep dorsal vein)의 절제가 필요하다. 그러나 이 방법은 음경백막의 외측 부위까지 충분한 박리가 쉽지 않아서 모래시계변형(hour-glass deformity)이 있거나 심한 외측 함몰(lateral indentation)이 있는 경우에는 적합하지 않다. 저자의 경우에는 전자의 방법을 선호한다. 배부 신경혈관다발의 압박 및 짓이김손상(pressure or crushing injury)을 방지하기 위해서 6 mm 직경의 silastic drain으로 가볍게 견인하면서 박리를 한다. 전기소작보다는 metzenbaum을 이용해서 세밀하고 정교하게 배부 신경혈관다발을 박리해야 한다(그림 2B, C). 배측만곡(dorsal curvature)의 경우에서 전술한 방법과 비슷하게 요도해면체를 음경해면체로부터 박리를 한다(그림 2D).

5) 음경만곡의 교정

Nesbit 술식은 음경만곡, 즉 섬유화병변의 반대편의 음경백막을 타원형으로 절제한 후에 결손부위를 봉합함으로써 음경기형을 교정하는 술식이다. 음경만곡의 정도에 따라서 1개 또는 여러 개의 타원형 절제를 할 수 있다. 타원형 절제부위가 너무 큰 경우에는 경첩효과(hinge effect) 또는 모래시계변형을 초래할 수 있으므로 주의를 요한다. 저자의 경우 음경맥막의 절제부위를 비교적 오랜 시간 후에 흡수되는 봉합사인 3-0 PDS (polydioxanone)를 이용해서 연속봉합(running suture)을 한다(그림 3A). 이 술식은 비교적 안정적으로 음경백막의 장력을 유지할 수 있고 치료성적도 좋아서 많이 이용되고 있다.

Yachia 술식은 음경백막의 일부를 제거하는 대신, 음경백막에 종절개를 가한 뒤 Heineke-Mikulicz 방법을 사용하여 횡으로 봉합하는 방법이다. 이 방법은 비교적 간편하게 시행할 수 있고, 백막연장술 또는 Nesbit 술식의 보조요법으로도 시행할 수 있다. 이 경우 음경백막을 3-0 PDS 봉합사로 비연속봉합(interrupted suture)을 한다(그림 3B). Nesbit 술식과 마찬가지로 음경만곡의 정도에 따라서 여러 개의 종절개를 가할 수 있다. 이후 인공음경발기를 유발시켜 음경만곡의 교정여부를 확인한다(그림 3C).

주름성형술(penile plication)은 배부 신경혈관다발 또는 요도의 박리 및 음경백막의 절개·절제 없이도 적용할 수 있는 비교적 덜 침습적인 방법으로서 국소 마취하에서도 진행할 수 있다. 섬유화병변 반대편에서 적절한 범위의 음경백막에 비흡수성 봉합사를 통과시켜 매듭을 만듦

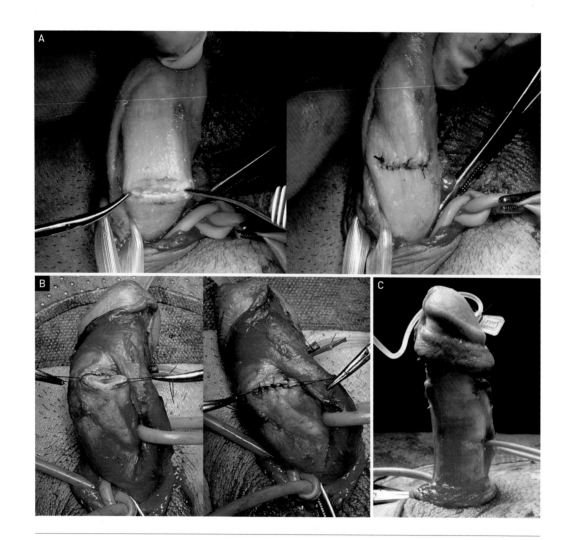

그림 3 백막단축술. A: Nesbit 술식. B: Yachia 술식. C: 수술 후 생리식염수를 이용한 인공음경발기

으로써 음경만곡을 교정하는 방법이다. 복측만곡의 경우에는 배부정맥과 배부동맥 사이, 그리고 배측만곡의 경우에는 요도해면체 1-2mm 외측에 양측으로 봉합사를 통과시켜 음경만곡을 교정한다. 그러나 비흡수성 봉합사를 사용해야 하기 때문에 술 후 매듭(knot)이 만져질 수 있고, 일부 환자에서는 봉합사가 음경백막에 장기적으로 충분한 장력을 주지 못해서 음경만곡이 재발하는 경우가 있으므로 주의를 요한다. 일반적으로 비교적 강한 강직도도 발기가 일어나는 선천성 음경만곡증 환자에게는 추천되지 않는다.

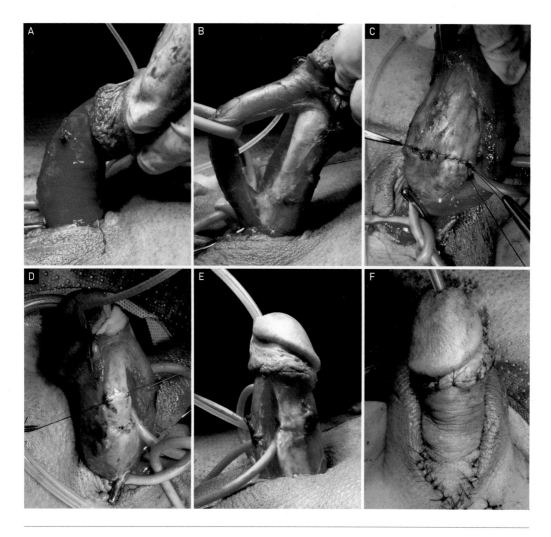

그림 4 배측만곡 환자로 요도해면체 박리 후 Nesbit 술식과 Yachia 술식으로 교정을 함. 음경길이 연장을 위해 Y-V 성5형술도 시행함

　저자의 경우에는 Nesbit 술식과 Yachia 술식을 동시에 이용하는 경우가 많다. 예를 들면 먼저 Nesbit 술식으로 교정한 후에 경미한 음경만곡이 남아 있으면 이를 Yachia 술식으로 교정한다 (그림 4). 그리고 여러 방향으로 음경만곡이 있는 경우에 음경만곡이 심한 쪽을 Nesbit 술식으로 교정하고, 경미한 쪽은 Yachia 술식으로 교정을 한다(그림 5).

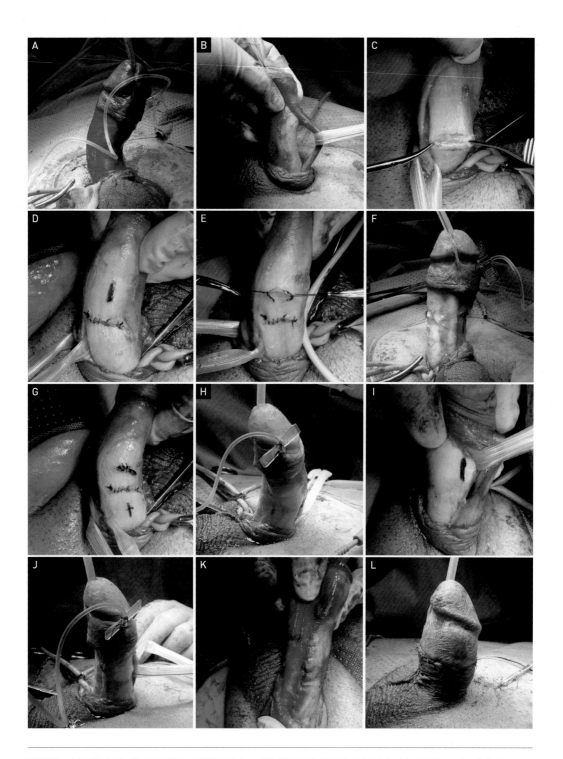

그림 5 좌측만곡과 경미한 복측만곡이 동반된 환자로 배부 혈관신경다발 박리 후 먼저 좌측만곡을 Nesbit 술식과 Yachia 술식으로 교정을 한다. 복측만곡은 Yachia 술식으로 교정한다.

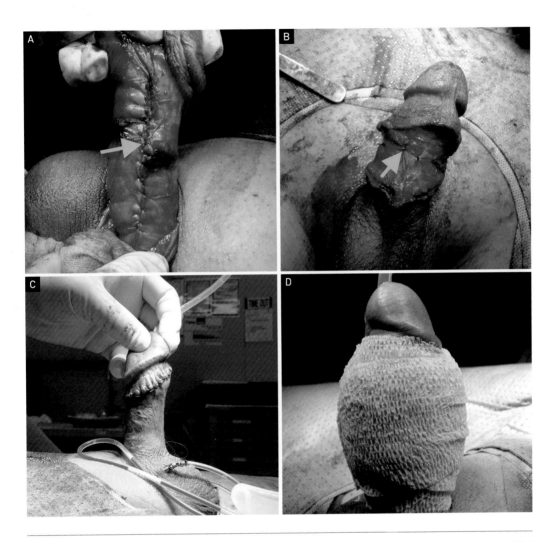

그림 6 상처봉합 및 드레싱. Buck's 근막(A), dartos 근막(B), 피부(C)를 순차적으로 봉합하고 탄력밴드로 가볍게 압박한다 (D).

6) 상처봉합

Buck's 근막을 4-0 Vicryl을 이용해서 연속봉합을 하는 것이 중요한데, 이렇게 하면 출혈, 혈종의 위험을 줄일 수 있다. 이후 dartos 근막과 피부를 3-0 또는 4-0 Vicryl을 이용해서 비연속봉합을 한다(그림 6A, B, C). 저자의 경우 술 후 혈종을 위험성과 과도한 음경압박을 피하기 위해서 배액관을 삽입하는 것을 선호하며 술 후 1일째에 제거한다.

7) 상처드레싱 및 술 후 관리(Wound dressing and postoperative care)

피부봉합 후 상처부위를 바셀린거즈 및 일반거즈로 순차적으로 덮은 후에 Coban™ 탄력밴드(3M, St. Paul, MN, USA)를 이용해서 가볍게 음경을 압박한다. 과도한 압박으로 인한 허혈 여부를 확인하기 위해서 주기적으로 귀두의 색깔을 확인한다(그림 6D). 수술 후 약 6주간 성교나 자위행위를 피하도록 한다. 수술 후 3-4주째부터는 수술로 인한 음경구축(penile contracture)을 방지하기 위해서 환자 스스로 하루 2회씩 약 5-10분간 음경견인 및 수술부위 마사지를 하도록 교육한다.

참고문헌 ···

• Kadioglu A, Akman T, Sanli O, Gurkan L, Cakan M, Celtik M. Surgical Treatment of Peyronie's Disease: A Critical Analysis. 2006;50(2):235-48. Ralph D, Gonzalez-Cadavid N, Mirone V, Perovic S, Sohn M, Usta M, et al. The management of Peyronie's disease: Evidence-based 2010 guidelines. J Sex Med. 2010;7(7):2359-74.

• Levine LA, Burnett AL. Standard operating procedures for Peyronie's disease. J Sex Med. 2013;10(1):230-44.

• Yachia D. Modified Corporoplasty for the treatment of penile curvature. J Urol. 1990;143(1):80-2.

• Suh JK. Peyronie's disease. In: Park JK and Jang JY ed. Textbook of Andrology, 2nd ed. Koonja Publishing Inc.: Seoul, 2010, pp 441.

CHAPTER

02

백막연장술 Ⅰ

Saphenous vein grafting, Bovine pericardium 등을 이용한 치료

이동섭 · 가톨릭의대

1. 재료의 선택(Selection of graft material)

백막연장술은 성기의 길이가 아주 짧거나 백막단축술(tunical shortening procedures)로 치료가 어렵다고 판단되는 경우 즉, 60°이상의 굽이가 보이거나 모래시계기형(hour-glass deformity)이 있는 경우에 한해 고려하는 것이 좋다. 발기개선제 복용에도 불구하고 발기가 되지 않는 경우에는 음경보형물 삽입술 또는 백막연장술과 동시에 음경보형물 삽입술을 고려해야 한다. 백막연장술 후 발기부전과 관련된 요소는 수술 전 발기부전이 있는 경우, 55세 이상, 도플러초음파에서 저항지수(resistive index)가 0.8 미만일 경우, 제거되는 판(plaque)의 크기가 클 경우(이식물질의 크기가 클 경우), 배쪽굽이(ventral curvature)인 경우, 굽이의 정도가 심한 경우 등이 알려져 있다. 그러므로, 일부 연구자들은 판(plaque)의 크기가 큰 경우 판(plaque)을 절제(excision)하기보다 H-incision 등의 절개법으로 수술하는 것을 권유하고 있다. 그러나 여기에 대해서는 아직 근거가 불충분하다.

이상적인 이식재료(graft material)는 탄력이 있고 (elastic) 강한 재료여야 하며, 조직반응이 적고, 두껍지 않아야 한다. 두렁정맥(saphenous vein)은 고전적으로 흔히 사용되는 재료이나, 하지에 새로운 수술흉터를 발생시키고 수술시간이 오래 걸리며, 림프부종을 일으킬 수 있어 점차 그 사용 빈도가 감소하고 있다. 구강점막(buccal mucosa)은 판(plaque)의 크기가 클 때 판의 절제 후 발생하는 결함부위(defect)를 충분히 덮을 이식면적을 제공하지 못할 가능성이 있고, 역시나 구강 수술을 동시에 해야 한다는 단점이 있다. Dacron (polyethylene tereohthalate) 이나 Teflon

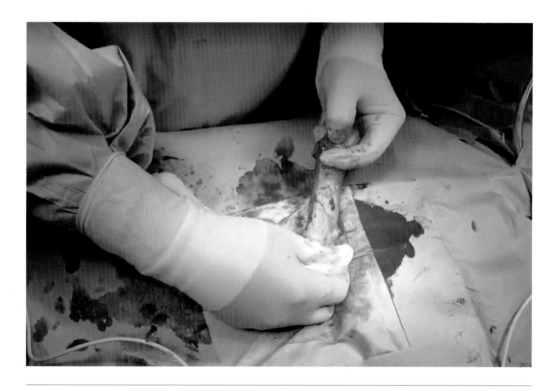

그림 1   Degloving procedure. 깊은음경근막(Buck's fascia)는 신경혈관다발(neurovascular bundle)을 둘러싸고 있고 얕은음경근막(Dartos fascia) 보다 밝은 색을 띠고 있다. 음경귀두관으로부터 1.5cm 몸쪽으로 또는 이전 포경수술자국을 따라 환상절개를 가한 후 얕은음경근막까지 절개하고 피부와 얕은음경근막을 깊은음경근막으로부터 조심스럽게 밀어서 분리하는 작업이다.

(polytetrafluoroethylene) 같은 합성물질은 근래 사용된 적이 있지만, 감염의 가능성으로 최근에는 권장되지 않는다. 인간의 뇌경막(dura)이나 소의 심막(pericardium)을 화학적 처리하여 상품화시킨 제품들은 수술시간을 단축시키고 내구성도 좋은 것으로 알려져 있지만, 향후 더 많은 연구결과가 뒷받침되어야 할 것이다.

백막연장술을 시행할 때 포경수술(circumcision)이 반드시 필요하다는 근거는 없으나 포경이 되지 않은 상태에서는 감돈포경(paraphimosis) 또는 이와 관련된 감염 등의 가능성을 고려하여 환자에게 충분한 설명을 해야 한다. 또한, 판(plaque) 절개 또는 절제 후 이식재료가 위치한 곳의 피부감각이 감소할 수 있다는 사실과, 수술부위가 다소 딱딱하게 만져질 수 있는 것에 대해 사전에 설명이 필요하겠다.

그림 2 인공발기(artificial erection). 인공발기는 degloving이 된 음경의 가장 몸쪽부분에 넬라톤(nelaton) 관을 묶고 해면체 내에 식염수를 주입함으로써 주입된 식염수가 정맥으로 흡수되지 않도록 하여 관찰할 수 있다. 인공발기는 정확한 위치파악을 위해 깊은음경근막의 박리 직전, 판(plaque)의 절개 또는 절제 전, 판의 이식 직후 음경굽이의 소실확인 및 추가적 술기의 필요성 결정을 목적으로 수술 과정에서 여러 번 시행되어야 한다.

2. 백막연장술의 기본술기

　　기본적으로 백막연장술을 목적으로 수술을 시작한다면, 깊은음경근막(Buck's fascia)을 충분히 노출시키는 과정이 필요하다. 음경귀두관(corona of glans penis)으로부터 1.5cm 몸쪽(proximal)으로 또는 이전에 포경수술자국을 따라 환상절개(circumcision)를 가하고 피부 및 얕은음경근막(Dartos fascia)을 깊은음경근막(Buck's fascia)으로부터 분리시켜 몸쪽으로 밀어내는 술기를 'degloving'이라고 한다(그림 1). 환상절개를 가하는 곳이 귀두로부터 너무 멀게 되면, 봉합 후 피부의 먼쪽(distal)으로 부종이 발생할 가능성이 있다.

　　Degloving을 시행하고 나서 깊은음경근막을 절개하기 전에 반드시 인공발기(artificial erection)를 시도하여 음경굽이의 위치와 정도를 정확히 재확인하는 작업이 중요하다(그림 2).

　　페이로니 판(plaque)이 확인이 되면 깊은음경근막(Buck fascia)의 박리가 시작되어야 한다. 판

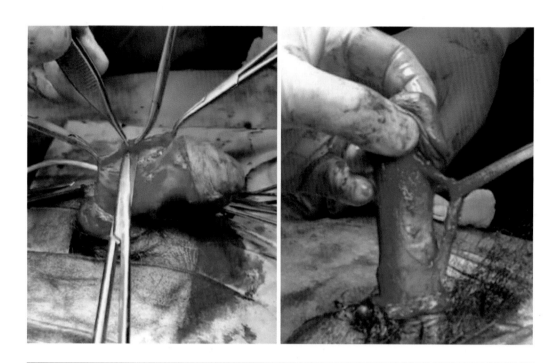

그림 3 깊은음경근막(Buck's fascia)의 박리. 판(plaque)이 등쪽에 위치하는 경우, 즉 음경이 등쪽으로 휘는 경우에는 판의 절개나 절제를 위해 신경혈관다발을 백막과 분리해야 한다. 신경혈관다발의 외측에서 깊은음경근막을 종절개하여 12시 방향으로 박리를 진행한다. 양측에서의 박리가 12시에서 만나면 신경혈관다발을 포함한 깊은음경근막이 백막으로부터 완전히 분리된다.

(plaque)은 등쪽(dorsal)에 위치하는 경우가 제일 흔하며, 따라서 깊은음경근막을 박리할 때에는 판(plaque)의 절개(incision) 또는 절제(excision)를 위해서 음경몸체의 10-2시 방향의 신경혈관다발(neurovascular bundle)을 함께 박리하여 들어주는 것은 매우 중요한 과정이다. 이를 위해서는 적어도 판(plaque)이 만져지지 않는 곳에 있는 깊은음경근막에서부터 박리가 시작되는 것이 좋다. 판(plaque)이 등쪽에 위치한 경우, 판(plaque)이 만져지지 않는 부분의 음경 몸통의 가쪽(lateral shaft)에서 깊은음경근막에 종절개를 가한 후 모기집게로 절개부위 아랫쪽을 박리하여 깊은음경근막과 백막 사이의 박리면(dissection plane)이 확인되면 이를 연장하여 나가는 방법으로 하면 된다(그림 3). 이때 너무 깊게 박리를 진행하면 백막파열이 될 수 있고, 너무 얇게 박리를 진행하면 깊은음경근막이 찢어지는 경우가 있다.

　판(plaque)이 등쪽(dorsal)이나 배쪽(ventral)에 위치하지 않고 순수하게 옆쪽(lateral)에 위치한 경우라도 많은 경우에서 판의 한쪽 끝부분이 등쪽 정중앙에 위치하는 경우가 있어 신경혈관다

그림 4 페이로니 판(plaque)이 배쪽에 위치한 경우. 요도와 백막을 분리할 때 도뇨관은 박리과정에 발생할 수 있는 요도손상을 방지하는 데 효과적이다.

발을 포함하여 깊은음경근막을 백막과 분리해야 되는 경우가 많다. 판(plaque)이 배쪽(ventral)에 위치한 경우는 깊은음경근막과 요도를 백막으로부터 분리하면 되는데(그림 4), 배쪽의 깊은음경근막은 등쪽에 비해 상대적으로 얇은 경우가 많아서 수술 후 절개된 깊은음경근막끼리의 봉합이 어려운 경우가 있다. 요도를 백막으로부터 분리할 때는 특히, 판(plaque) 주변의 유착이 있을 수 있으므로 도뇨관을 삽입하고 분리하는 것을 권장한다.

　신경혈관다발을 백막과 분리하는 정도는 판(plaque)을 절개할 것인지 절제할 것인지에 따라 약간 차이가 있을 수 있다. H-incision 같이 판(plaque)의 절개를 계획했다면, 인공발기를 시켰을 때 판(plaque)의 가장 오목한 부분 전후로 신경혈관다발을 1cm 정도만 백막과 분리하여도 성공적인 수술을 할 수 있는 경우가 많다. 만약 판(plaque)의 절제를 계획했다면, 판(plaque) 전후로 신경혈관다발을 1cm 정도 백막과 분리해야 되므로 절개보다는 깊은음경근막을 포함한 신경혈관다발을 백백막으로부터 많이 분리해야 한다. H-incision은 가장 흔한 절개법 중의 하나로 절개

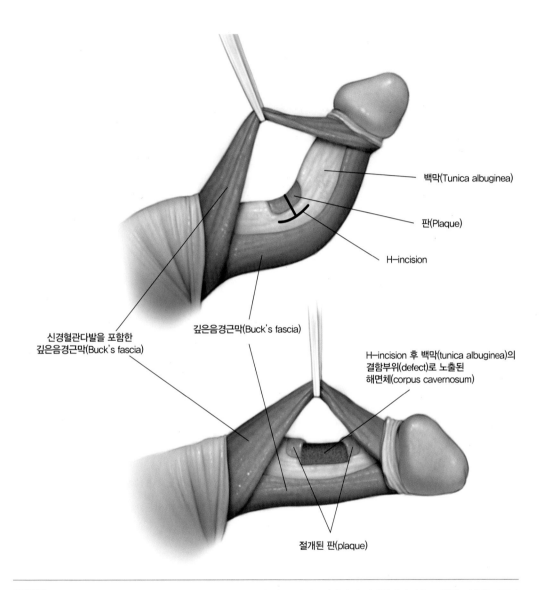

백막(Tunica albuginea)

판(Plaque)

H—incision

신경혈관다발을 포함한
깊은음경근막(Buck's fascia)

깊은음경근막(Buck's fascia)

H-incision 후 백막(tunica albuginea)의
결함부위(defect)로 노출된
해면체(corpus cavernosum)

절개된 판(plaque)

그림 5 H-incision 전후 모습. 등쪽굽이(dorsal curvature)가 있는 페이로니병에서 신경혈관다발을 포함한 깊은음경근막
(Buck's fascia)을 판(plaque)과 분리한 후, 판을 가로로 절개하고 절개선을 정상 백막이 나올 때까지 연장한다. 이후 'H' 형태의
절개선을 완성하고 음경을 당기면 해면체가 노출된 백막의 결함부위(defect)가 사각형의 형태로 드러난다.

후 음경을 잡아당겼을 때, 사각형 모양의 백막 결함(defect)를 확인할 수 있다. 절개법을 이용할

때에는 판(plaque) 아랫쪽으로 유착된 해면체부분을 절개된 판(plaque)의 모서리 부분과 분리시

키도록 한다(그림 5, 6A).

　절개를 하든 절제를 하든지 간에 백막의 결함(defect) 부위는 정확히 자로 재어 놓는다. 추후

음경 수술

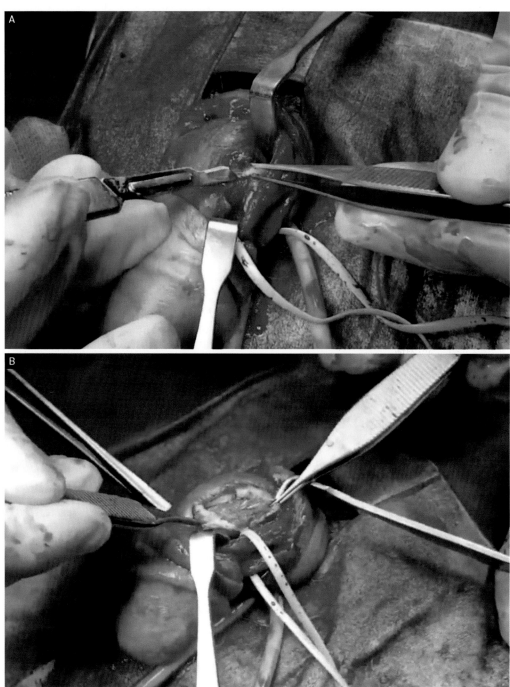

그림 6 A: H-incision 후 판(plaque)과 유착되어 있는 아랫쪽면의 해면체를 판과 분리하는 모습. B: 등쪽굽이가 있는 환자에서 H-incision 후 백막의 결함(defect). H-incision은 판(plaque)을 제거하는 술식이 아니므로 이식재료(graft material)가 들어갈 부분의 각 모서리에 판(plaque)이 그대로 남아 있다.

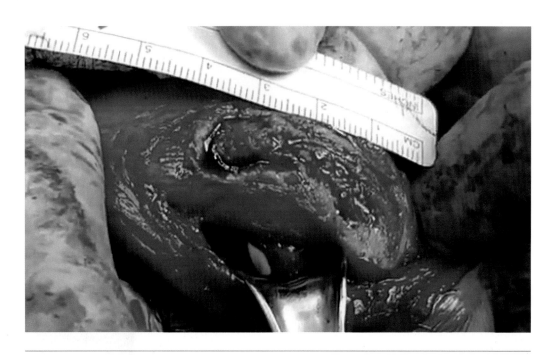

그림 7 판(plaque)이 절제(excision)되고 난 백막의 결함(defect). 판(plaque)의 절제술은 판 자체를 없애긴 하지만 많은 양의 이식재료(graft material)가 요구된다.

에 사용될 이식물질(graft material)은 결함부위보다 25% 정도 크도록 넉넉하게 이식을 하는 것이 좋고, 너무 크다고 생각되면 이식 도중에 다듬을 수 있다(그림 6B, 7).

1) 두렁정맥(saphenous vein) 이식을 이용한 치료

두렁정맥(saphenous vein)은 서혜부에서 넙적다리정맥(femoral vein)과 합쳐져 온넙적다리정맥(common femoral vein)으로 된다. 두렁정맥은 다리의 내측에 위치하는 표재성 정맥으로 관상동맥치환술의 재료로서 흔히 이용된다. 그 직경은 보통 두렁정맥의 위치마다 다른데, 두렁넙적다리접합부(saphenofemoral junction)에서 두렁정맥의 직경은 정상의 경우 7mm 이상이고 이보다 15cm 아랫쪽인 대퇴부에서는 3.5-7mm 정도이므로, 두렁정맥을 대퇴부에서 채취한다면 최소 10mm 이상의 너비(circumstance=2πr)를 가진 정맥을 확보할 수 있다(그림 8).

그러나 판(plaque)의 절개 또는 절제 직전에 두렁정맥을 채취하되 충분한 길이의 두렁정맥을 확보해 두는 것이 좋다. 두렁정맥 채취 전의 길이보다 채취 후 그 길이가 짧아지는(수축되는) 현

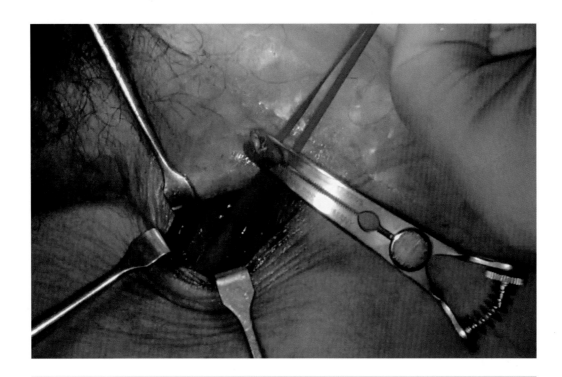

그림 8 두렁정맥(saphenous vein)의 채취. 서혜부에서 상부대퇴부 사이의 두렁정맥은 보통 10mm 이상의 둘레를 가지고 있다. 채취 후 정맥의 수축현상이 발생하므로 예상보다 충분한 길이의 두렁정맥을 채취하는 것이 좋다.

상이 발생하므로 이를 유의해야 한다. 채취된 두렁정맥의 내피가 백막의 결함부위의 내부를 향하도록 이식하면 되는데, 결함부위의 크기를 고려하여 두렁정맥의 절편들을 잘 조합하여 접합하고 이식한다. 두렁정맥끼리의 접합은 PDS 5-0를 사용하는 것이 권장되고, 두렁정맥과 백막의 접합은 PDS 4-0을 이용하는 것을 권장한다(그림 9).

백막 결함(defect) 부위의 각 모서리의 구석부분 네 군데는 다듬어 합쳐진 두렁정맥의 각 끝부분과 단속봉합(interrupted suture)를 통해 단단히 봉합하고 나머지 모서리 부분은 연속봉합(continuous suture)을 한다. 연속봉합이 모서리의 끝부분까지 왔을 때 미리 봉합되어 있는 실과 매듭을 형성하면 된다. 같은 방법으로 네 군데를 시행하여 문합을 완성한다. 이후 인공발기를 시행하여 식염수가 새어 나오는 곳이 없는 지 확인하고 필요한 경우에만 단순 봉합을 추가한다. 만약 굽이(curvature)가 남아 있어 보이거나, 처음과 반대의 방향으로 굽이가 발생한다면 추가로 적절한 단축술을 할 수도 있다. 깊은음경근막을 Vicryl 4-0을 이용하여 봉합하고 나머지

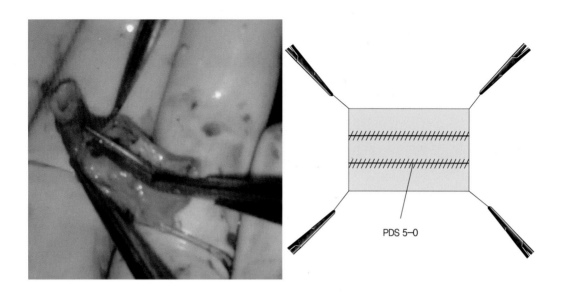

그림 9 두렁정맥 절편의 조합. 두렁정맥을 채취 후, 백막의 결함부위에 이식할 만큼의 크기로 조합한다. 이때 보통 두렁정맥을 종으로 절개했을 때 너비가 1cm 내외이다. 두렁정맥 절편끼리는 PDS 5-0로 연속봉합한다. 이때 봉합하기 편하게 각 구석부분을 당겨주면 좋고, 봉합하는 동안 채취된 정맥절편들이 마르지 않도록 생리식염수를 지속적으로 적셔준다.

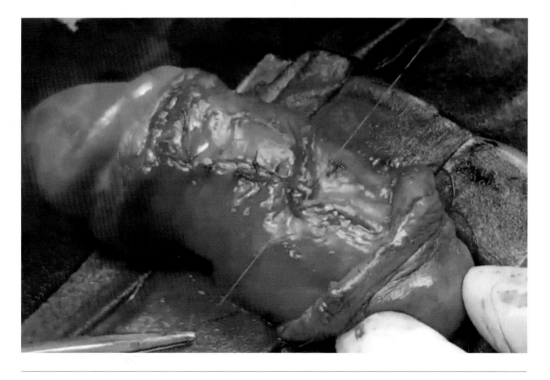

그림 10 깊은음경근막의 봉합. Vicryl 4-0을 이용하여 종 절개된 깊은음경근막을 봉합하고 있다.

그림 11 상품화된 소심장막(bovine pericardium)을 백막결함(defect of tunica albuginea)의 크기에 맞게 자르고 있다.

그림 12 배쪽굽이(ventral curvature)가 있는 페이로니병 환자에서 판(plaque) 절제(excision) 및 소심장막(bovine pericardium) 이식 후 인공발기의 모습

창상을 봉합한 후 드레싱을 한다(그림 10).

2) 소심장막(Bovine peridardium) 이식을 이용한 치료(그림 11, 12)

소심장막은 혈관대치(vascular replacement) 물질로 사용되는 물질로, 백막연장술의 재료로서 사용될 수 있는 비교적 쉽게 구할 수 있는 물질이다. 한쪽은 매우 미끌미끌하고 다른 한쪽은 거칠거칠하여 미끌미끌한 면이 백막결함의 내부로 향하게 한다. 문합을 시행하기 전에 먼저 재료를 식염수를 500cc 채운 용기에 최소 3분을 담가놓아야 한다. 판(plaque) 절개 또는 절제 후 발생한 결함부위(defect)의 모서리 끝 네 군데는 잘라놓은 소심장막의 네 군데 끝과 단속봉합(interrupted suture)을 하고 실을 길게 놔둔다. 결함부위와 소심장막의 각 모서리끼리의 문합(anastomosis)은 PDS 4-0을 이용하여 연속봉합을 시행하며 연속봉합을 하다가 모서리 끝에 다다르면 길게 놔둔 실과 매듭을 형성한다. 다른 방법들은 모두 두렁정맥이식을 할 때와 동일하게 시행한다.

참고문헌 ....

- Brant WO, Bella AJ, Garcia MM, Tantiwongse K, Lue TF. Surgical Atlas. Correction of Peyronie's disease: plaque incision and grafting. BJU Int 2006;97:1353-60.

- Egydio PH, Lucon AM, Arap S. A single relaxing incision to correct different types of penile curvature: surgical technique based on geometrical principles. BJU Int 2004;94:1147–57.

- Flores S, Choi J, Alex B, et al. Erectile dysfunction after plaque incision and grafting: short-term assessment of incidence and predictors. J Sex Med 2011;8:2031–7.

- Garaffa G, Sacca A, Christopher AN, et al. Circumcision is not mandatory in penile surgery. BJU Int 2010;105:222–4.

- Gelbard MK. Relaxing incisions in the correction of penile deformity due to Peyronie's disease. J Urol 1995;154:1457–60.

- Hatzichristou DG, Hatzimouratidis K, Apostolidis A, et al. Corporoplasty using tunica albuginea free grafts for penile curvature: surgical technique and long-term results. J Urol 2002;167:1367.

- Jordan GH, Angermeier K. Preoperative evaluation of erectile function with dynamic infusion cavernosometry/cavernosography in patients undergoing surgery of Peyronie's disease: correlation with postoperative results. J Urol 1993;150:1138–42.

- Kalokairinou K, Konstantinidis C, Domazou M, Kalogeropoulos T, Kosmidis P, Gekas A. US Imaging in Peyronie's Disease. J Clin Imaging Sci 2012;2:63.

- Mendoza E, Blättler W, Amsler F. Great saphenous vein diameter at the saphenofemoral junction and proximal thigh as parameters of venous disease class. Eur J Vasc Endovasc Surg 2013;45:76-83.

- Otero JR, Gómez BG, Polo JM, Mateo CP, Barreras SG, Cruz EG, de la Viña JR, Antolín AR. Use of a lyophilized bovine pericardium graft to repair tunical defect in patients with Peyronie's disease: experience in a clinical setting. Asian J Androl 2017;19:316–20.

- Sansalone S, Garaffa G, Djinovic R, Pecoraro S, Silvani M, Barbagli G, Zucchi A, Vespasiani G, Loreto C. Long-term results of the surgical treatment of Peyronie's disease with Egydio's technique: a European multicentre study. Asian J Androl 2011;13:842–5.

CHAPTER

03

백막연장술 Ⅱ

Tachosil, multiple tunical incision 등의 technique을 이용한 치료

문두건 · 고려의대

페이로니병의 가장 특징적인 증상은 성교가 불가능한 음경만곡이다. 수술치료의 적응증은 1) 음경만곡이나 편위가 심하여 성교가 힘들거나 불가능할때, 2) 보조적 치료에 실패한 경우, 3) 적어도 1년 이상 지속된 경우, 4) 최소 6개월간 질병의 경과가 안정된 경우이다.

1. 백막연장술

페이로니병의 음경만곡을 교정해 주는 수술치료법으로는 결절이 있는 만곡부위의 반대측을 결찰하여 만곡을 교정하여주는 백막단축술의 가장 큰 단점은 술 후 음경의 길이가 짧아지는 것이다. 이를 피하기 위해서 만곡부위의 결절부위를 절개 또는 절제 후 발생한 백막결손부위를 대체조직편을 이용하여 이식해 주게되면 만곡도 교정되는 한편 음경길이가 짧아지는 것을 방지할 수 있다. 음경만곡의 정도가 60도 이상인 경우 음경길이가 단축되는 것을 피하기 위하여 대부분 절편대체술을 선호하는데 만곡측의 길이를 늘려서 음경을 똑바로 펴지게 할 수 있기 때문이다. 이로 인해 이러한 조직이식수술을 길이가 짧아지는 백만단축술의 상대적인 개념으로 만곡과 동시에 짧아진 음경길이를 원상복구시킬수 있으므로 백막연장술이라고 한다.

일반적으로 백막연장술에 사용하는 이식편은 이식편을 준비하는 과정에서 오는 침습성이나, 공여부위의 조직결손으로 인한 문제점이외에도 결손부위에 맞게 재단하여 봉합을 하여야 한다. 이상적인 이식편은 이식편의 준비로 인한 수술시간의 과도한 연장이 없어야 하고 이식과정이 간단하여야 하며 지혈효과가 우수하고 봉합결과가 우수하여야 한다. 자가유착 Collagen

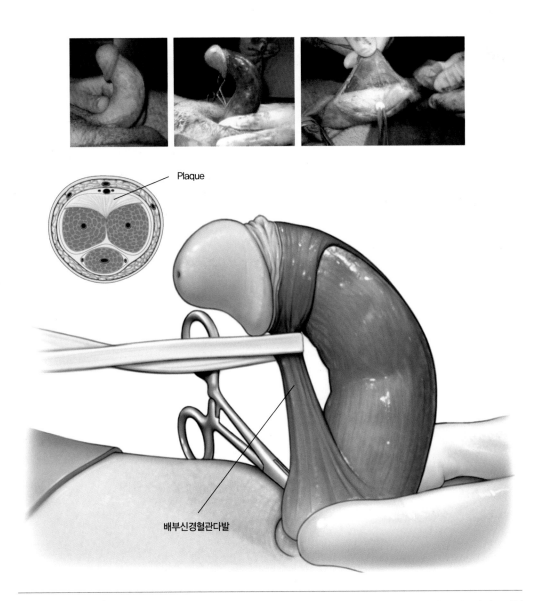

Plaque

배부신경혈관다발

그림 1 전신마취하에서 음경피부의 환상절개 후 음경피부를 벗긴다(degloving). 생리식염수나 주사용 발기유발제로 인위발기를 시킨 후 음경의 최대만곡부위와 페이로니경결부위를 확인한다. 환측 Buck's 근막을 종으로 절개하여 양측으로 박리한다. 양측 요도와 배부신경혈관다발을 박리하여 들어올린다. 배부신경혈관다발 박리 시 신경손상이나 전기소작이나 지혈등에 의한 손상은 술후 음경 및 귀두감각저하를 유발할 수 있으므로 주의하여야 한다.

Fleece의 장점은 백막경결을 부분절제한후 발생한 백막결손부위에 맞게 절편을 정확하게 재단하여 봉합할 필요가 없기 때문에 쉽고 간편하며 수술시간도 단축시킬수 있다. 뿐만 아니라 지혈효과도 우수하여 수술이 쉽고 간편하다. 하지만 술 전 발기능이 우수하여야 하며, 술 후 이식

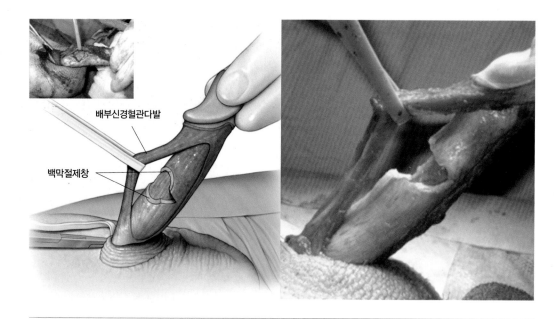

배부신경혈관다발

백막절제창

그림 2 음경 최대만곡면에서 경결을 포함한 백막을 방추형(2.0×0.5cm)으로 절제한다. 이때 백막하방의 해면체조직의 절제나 손상은 술 후 발기력의 저하를 가져올 수 있으므로 주의하여야 한다. 백막절제부위에서 해면제 원주의 절반정도까지 양측으로 절개창을 연장하는데 요도로부터 최소 1cm는 남겨두어야 한다. 모든과정은 출혈을 방지하기위해서 음경저부에 지혈대를 거치해두고 시행하는 것이 좋다.

편이 해부학적, 기능학적으로 작용하는 데는 6-12개월의 시간이 필요하며 정상백막으로 재생되는지에 대한 조직학적 증거가 불충분하다는 불확실성이 제한점으로 남아 있다.

1) 부분백막절제술 및 Collagen Fleece 절편대체술

2000년대 초 독일 튜빙겐대학의 Lahme 등은 Collagen Fleece에 조직봉합제(Tissue Sealant) 성분을 처치해 둔 TachoComb을 이용하여 19명의 페이로니병환자에서 백막절개 후 이식수술을 하고 2년 추적결과 83%에서 객관적인 향상을 보였다. 이후 최근까지 Hatzichristodoulou G 등에 의해 발전되어 왔으며 부분백막절제술 및 Collagen Fleece 절편대체술은 대표적인 수술방법이다.

술 후 3일간 경도의 압박드레싱을 유지하고 필요하면 요도카테터를 삽입하여도 된다. 항생제 수술 당일만으로도 충분하지만 술 후 감염을 방지하기 위하여 3-5일간이면 충분하다. 술

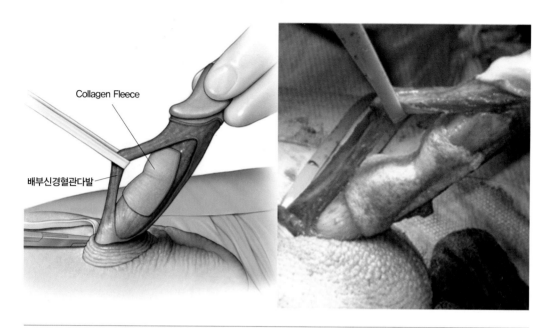

Collagen Fleece

배부신경혈관다발

그림 3 백막결손부위에 대한 대체절편은 TachoSil을 사용한다. Tachosil은 자가유착 Collagen Fleece에 조직봉합제가 코팅이 되어 있는데 면역반응이 없는 인체 피브리노겐(섬유소원)과 트롬빈(혈액응고 단백질)이 함유되어 있다. TachoSil은 두께는 0.5cm으로 4.8×4.8cm으로 생리식염수에 적신 다음 결손부위에 덮어주면 되는데 봉합을 하지 않은 대신 절제면의 가장자리에서 최소 5mm 이상 여유있게 덮어주어야 하며 약 3분간 압박 후 출혈부위가 없이 완전히 봉합될 수 있다. Collagen fleece는 신축성도 있어서 절편이나 음경의 위축위험성은 매우 낮다.

후 창상처치는 피부봉합사의 종류에 따라 하면 된다. 술 후 음경재활프로그램이 중요한데 3주째부터 약 3개월간 재활을 위하여 매일 30분간 음경 마사지와 신장을 해주어야 한다.

　이는 술 후 발기부전의 위험을 낮추고 발기력 회복을 촉진하며 음경길이의 단축을 예방하고 음경을 똑바로 펴주는 데 유리하다. 술 후 1주일째부터 야간에 PDE5 inhibitor를 투여하는 것이 좋고 성관계는 6주 후부터 가능하다.

2) Collagen Fleece를 이용한 multiple incision 등의 Modified Technique을 이용한 치료

　Collagen Fleece를 이용한 패이로니병의 수술치료법은 기존의 복잡한 대체조직 확보과정의 문제점을 피할 수 있다는 점에서 매력적인 방법임에는 틀림없다. 그러나 방법의 문제점은 백막의 경결은 완전히 제거하기보다 경결의 연속성과 만곡의 최대점을 파괴하여 음경을 똑바로 펴주는 것이므로 경결이 광범위하거나 다발성인경우 만곡의 완전한 교정이 어려우므로 추가적인 주름성형술이 필요하다. 또한 결손부위를 대체한 Collagen Fleece가 정상백막으로 재생되는지에 대한 조직학적 증거가 불충분하다는 불확실성이 남아 있다. 이에 백막절제술보다 기존의 백막다중절개방법을 응용하여 새로운 방법으로 시도한 결과 우수한 경과를 보이고 있어 소개하고자 한다.

전체적인 방법은 동일하나 백막의 최대 만곡부위의 백막과 경결을 부분절제하지 않고 경결이 만져지는 부위내의 백막을 크기 1cm 이내 격자처럼 다중절개를 가해서 백막과 경결의 연속성을 파괴한다. 가로절개는길이방향 만곡을 교정할 수 있고 세로방향 절개는 백막의 변형으로 인한 병목현상을 교

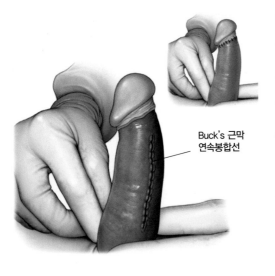

Buck's 근막
연속봉합선

그림 4 절편이식 후 배부 신경혈관종을 원래 위치로 두고 Monocryl 4-9 봉합사를 이용하여 Buck's 근막을 연속봉합한다. 인공발기를 유도하여 남아있는 만곡이 있으면 주름성형술 (plication)을 추가할 수도 있다. 음경피부는 Monocryl 4-0봉합사로 봉합해준다.

정할 수 있다.

부분절제술은 중간사이즈로 충분하지만 다중절개법은 백막절개창의 크기가 크기 때문에 다양한 사이즈의 TachoComb을 겹쳐서 사용하는 것이 더 편리하다. TachoSil은 두께는 0.5cm으로 3.0×2.5cm, 4.8×4.8cm, 4.8×9.5cm의 세 가지 종류가 있으므로 적절한 크기를 사용하면 된다. 제일 큰 사이즈는 실제 사용하기에 불편하므로 중간 사이즈를 먼저 사용하고 필요하면 한장 더 겹쳐서 사용하는 것이 더 편리하다.

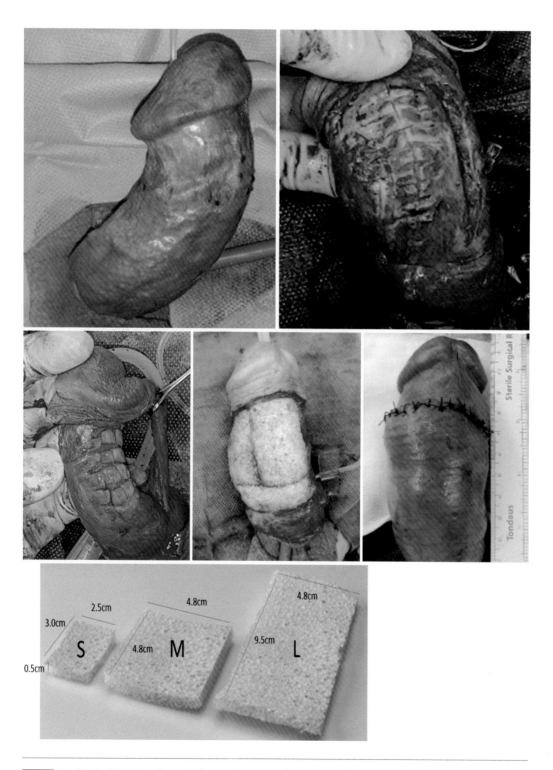

그림 5 Modified grid incision of tunical plaque and sealing with various size of collagen fleece

참고문헌 ··

• Lahme S, Götz T, Bichler KH (2001) Collagen fleece for defect coverage following plaque excision in patients with Peyronie's disease. Eur Urol 41:401–405

• A self–reported long–term follow–up of patients operated with either shortening techniques or a TachoSil grafting procedure. Asian J Androl 13:326–331

• Hatzichristodoulou G (2016) Partial plaque excision and grafting with collagen fleece in Peyronie disease. J Sex Med 13:277–281

• Hatzichristodoulou G, Fiechtner S, Gschwend JE, Kübler H, Lahme S (2017) Suture–free sealing of tunical defect with collagen fleece after partial plaque excision in Peyronie's disease: long–term outcomes of the Sealing technique. Eur Urol Suppl 16(3):e2152

• Rosenhammer B, Sayedahmed K, Fritsche HM, Burger M, Kübler H, Hatzichristodoulou G (2018) Long–term outcome after grafting with small intestinal submucosa and collagen fleece in patients in patients with Peyronie's disease with Peyronie's disease: a matched pair analysis. Int J Impot Res. https://doi.org/10.1038/s41443–018–0071–1

• Fabiani A, Fioretti F, Filosa A, Servi L, Mammana G (2015) Patch bulging after plaque incision and grafting procedure for Peyronie's disease. Surgical repair with a collagen fleece. Arch Ital Urol Androl 87:173–174

PART

03

음경보형물

개요

CHAPTER **01** 음경보형물

개요

박홍재 · 성균관의대

발기부전의 치료 방법으로 일차적으로 사용하는 phosphodiesterase 5 inhibitors 복용에 효과가 없고, vacuum devices, IUD, 음경해면체 발기유도약물 주사 등의 방법으로 발기부전의 증상치료에 실패한 경우 최종적으로 사용하는 음경보형물 삽입술은 되돌릴 수 없는 음경 조직의 일부 손상을 감수하면서 음경해면체 내에 보형물을 이식하는 방법이다. 따라서 자세한 병력 청취 과정에서 특별한 상황이나 특정 성관계 상대에 따라서 혹은 일시적으로 발기부전을 호소하는 경우 등 정서적 원인의 발기부전이 의심되는 경우 음경보형물 삽입수술을 결정해서는 안 되며, 음경보형물 삽입의 대상이 되는 환자를 선택하는 데 세심한 주의와 판단이 필요하다.

적절한 발기 상태를 얻기 위하여 이미 1900년대부터 다양한 자연유래물질(늑골 및 근육, 근막 등)이나 인공물질(아크릴, 실리콘 등)을 이용하여 음경의 발기 상태를 구현하려는 시도가 이어지던 중 1973년 팽창형 음경보형물이 제작되면서 음경보형물 삽입수술의 새로운 시대가 열렸다.

음경보형물을 분류하는 방법은 다양하지만, 크게 굴곡형과 팽창형 음경보형물로 나눌 수 있다. 음경보형물 삽입수술을 결정하는 과정에서 수술 당사자와 수술 선택, 수술 후 예측되고 기대할 수 있는 결과, 선택 보형물 종류에 따르는 장단점 및 발생 가능한 부작용들과 이에 대한 처치 등에 대하여 자세한 상담과 신중한 토의가 필요하며, 수술 전 배우자나 성 상대자의 의견 역시 중요한 필요 요소이다.

수술 후 일부 환자에서 감염, 요도나 음경백막 미란이나 천공, 음경보형물의 기계적 결함 등이 발생할 수 있으므로, 이에 대하여 환자가 이해할 수 있도록 충분히 설명하고, 부작용 발생 시 대책에 대하여도 수술 전에 미리 의논하는 것이 좋다.

음경보형물 삽입수술은 이미 많은 발기부전 환자들에게 만족스러운 치료 방법이지만, 연골 등 더욱 생체 조직과 가까운 다양한 물질들을 보형물 제조에 응용하거나, 발기에 도움을 주는 약물이나 세포, 유전자 등을 음경보형물과 배합 제조하는 방법, 3D printing 기법을 이용한 보형물 제작 등에 대한 연구가 이뤄지고 있는 것으로 미뤄 장래에는 현재의 음경보형물보다 기계적, 기능적, 생체적합적으로 향상된 음경보형물들이 개발될 수 있다는 가능성을 보여준다.

CHAPTER

01

음경보형물

박종관, 신유섭 · 전북의대 / 신홍석 · 대구가톨릭의대

1. 정의 및 발전

음경보형물수술은 발기부전을 호소하는 환자의 최종 치료방법이다. 발기가 되지 않는 성기를 인위적으로 발기가 되게 하여 질에 삽입함으로써 정상적인 성관계를 갖게 하는 목적을 가지고 있다. 음경보형물에는 여러 종류가 있지만 크게 비팽창형(non-inflatable, malleable)과 팽창형(inflatable)으로 나뉘며, 기능적인 면에서는 팽창형음경보형물이 선호된다.

1936년 Bogoras가 성기의 단단함(rigidity)을 보강하기 위하여 갈비뼈연골을 이용하였으며, 1944년과 1947년 Frumkin과 Bergman은 이 기술을 형식화하였다. 1952년 Goodwin과 Scott는 아크릴로 된 보형물을 만들어 해면체와 해면체 사이에 넣었지만 polyethylene으로 만든 음경보형물보다 성공률이 낮았다. 1960년 Loeffelr와 Sayegh는 아크릴에 안정성을 유지하기 위한 구멍을 뚫은 음경보형물을 만들었으나 해면체내에 넣지 않았기 때문에 발기를 시켜야만 사용이 가능했다. 1964년 Lash 등은 실리콘 치과용세공재료(dental inlay)로 실리콘보형물 발전을 시도하였고, 1967년 Pearman은 성기의 뒤쪽(dorsal) 벅스근막(buck's fascia)과 음경백막 사이에 조직의 이물반응이 적게 발생하는 실리콘으로 만든 연성형 막대형보형물을 삽입하였다. 1966년 Beheri 등은 polyethylene 막대를 사용한 700례 보형물수술의 결과를 보고하면서 실리콘이라는 신물질과 보형물삽입을 위한 정확한 위치(해면체내)가 제안되어 음경보형물수술은 급물살을 타게 된다. 1973년 Morales 등은 작은 직경의 polyethylene 보형물을 아크릴이나 실리콘보다 더 연하게 만들려 했으나 강하여 굽어지는 데 한계가 있고 통증을 유발하는 단점이 있었다. 또한 근위

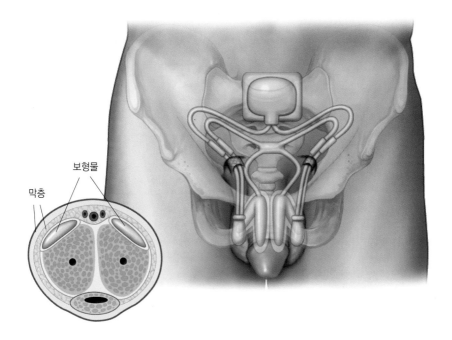

막층

보형물

그림 1 Scott inflatable penile prosthesis

부(proximal) crus에서 귀두부까지의 길이로 삽입했지만 직경이 작아(4-7mm) 성기가 굵지 않고, 단단하지 못하여 좋은 결과를 얻지 못하였다. 1973년 Scott 등은 완전히 새로운 개념의 실리콘으로 강화된 다크론(Dacron®)으로 만든 팽창형보형물 수술결과를 보고하였다(그림 1).

1975년 Small과 Carrion 등은 단단한 연성막대형(semi-rigid malleable) 음경보형물을 개발하여 헤가(Hegar®) 확장기로 5-11번까지 해면체를 확장한 후 해면체내에 삽입하였지만 지속적인 발기로 불편함을 호소하였다(그림 2).

Apfelberg는 1976년 silastic 막대를 개발하여, 정중절개를 통해 귀두부부터 골반골까지의 해면체에 각각 1개의 긴 실리콘을 넣는 기술로 발전시켰지만 후부강직도가 없어 수술

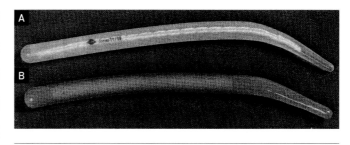

그림 2 Semi-rigid malleable penile prosthesis. A: Jonas. B: Small-Carrion

후 성기가 실제 성기보다 짧았다.

Subrini, Finney, Jonas, Mentor 등에 의하여 반고체(semi-rigid)형 보형물이 개발되었고, 최근의 연성형(malleable)으로 발전되어 사용되고 있다. 그후 과학의 발전으로 사용하는 재질이 발전되어 과거에 비해 보형물의 내구성뿐 아니라, 부작용과 감염도 급속하게 개선되었다(표 1).

1979년 Gerestenberger 등은 팽창형음경보형물수술을 받은 환자와 파트너의 만족도가 각각 74%와 75%가 되는 좋은 수술임을 발표하였다. 2019년 Neuville 등은 음경형성술(phalloplasty)을 위한 보형물 ZSI 475 FtM®을 개발, 수술한 예를 유럽에서 보고하였다.

2. 보형물의 종류와 구조

음경보형물은 다르게 반고체막대형(semi-rigid rod)과 팽창형(inflatable) 음경보형물로 구분을 할 수 있으며 반고체막대형은 다시 연성(malleable)형과 기계(mechanical)형으로 나눈다(그림 3). 특별히 음경형성술을 위한 팽창형 음경보형물도 개발되었다.

표 1 음경보형물의 발전과정(milestone)

Date	Innovation
1500s	Wooden splints or wooden pipe used to facilitate urination
1936	Tubular phalloplasty with rib cartilage
1952	Acrylic splints, extracavernosal implantation
1958	Paired intracavernosal polyethylene rods
1960	Intracavernosal acrylic rods
1964	Silicone penile implants
1973	Small-Carrion prosthesis with customizable length, enhanced girth, more reliable, easier placement
1973	Introduction of inflatable penile prosthesis
1977	Flexirod with soft hinge improved concealment
1980	Jonas silicone prosthesis with silver wires; first true malleable device
1983	AMS 700 with thick cylinders, PTFE sleeves, sutureless connector
1983	Mentor 3-piece IPP had polyurethane (Bioflex) that enhanced strength over silicone
1983	AMS 600M and 650 were malleable devices with a central wire core and trimmable silicone
1985 ~1986	Omniphase and Duraphase had a central cable and frequent mechanical malfunction; Hydroflex and Flexi-Flate had poor concealment and incomplete flaccidity
1986	Kink-resistant tubing added to AMS 700
1987	AMS 700 CX had a 3-ply design with woven fabric layer and decreased cylinder aneurysms
1987	Mentor IPP improvements of pump modifications, nylon-reinforced tubing, cylinder base reinforcement
1989	Mentor Alpha-1, a connector-less IPP, decreased connector complications

1990	AMS 700 CXM, a narrow version
1990	AMS Ultrex had expanded girth and length
1992	Mentor Alpha-1 had reinforced pump and tubing and enhanced mechanical reliability
1993	AMS Ultrex cylinders were strengthened and improved mechanical reliability
1994	AMS Ambicor, a 2-piece prosthesis
1996	Mulcahy salvage technique
1998	Mentor Acu-Form malleable device with central wire cores
2000	AMS 700 had Parylene coating added, which improved mechanical reliability; pre-connected cylinders with color-coded tubing facilitated implantation
2000	Mentor had a lockout valve
2001	AMS InhibiZone was impregnated with antibiotics minocycline and rifampin
2002	Mentor Titan had hydrophilic coating that permitted absorption of aqueous antibiotic solutions and decreased bacterial adherence
2002	Mentor Alpha-1, narrow base model
2004	Coloplast Genesis malleable
2006	AMS Momentary Squeeze
2006	1-way valve decreased autoinflation
2006	Coloplast acquires Mentor
2007	AMS 700 LGX trademarked
2008	Coloplast one-touch release pump
2008	Titan XL cylinders (24, 26, 28 cm)
2009	AMS Spectra malleable
2011	Conceal Cloverleaf CL reservoirs
2011	No-touch technique decreased infection
2012	Coloplast 0 tubing and molded silicone contoured tip

3. 음경보형물의 선호도

음경보형물은 처음에는 주로 간단한 반고체막대형이 선호되었는데 이는 누출, 실린더 류(aneurysm), 튜브꼬임과 같은 부작용이 없고, 팽창형에 비해 수술이 쉬웠기 때문이다. 그러나 현재는 팽창형음경보형물의 기계적인 신뢰성이 높아졌고, 수술 중, 수술 후 합병증, 재수술이 감소되었으며, 보형물의 생명도 길어졌고 발기의 질적(quality)인 면에서도 월등히 좋으며, 환자와 파트너의 만족도가 높아 반고체막대형음경보형물보다 많이 사용된다. 1980년대 American Medical Systems (AMS)에서 Hydroflex®(후에 Dynaflex®로 바뀜)를 만들었고, Surgitek에서는 Flexiflate®를 개발하였으나, 조기에 고장이 발생하였고, 환자가 음경보형물을 원할하게 작동시키기 어려워 결국 1990년대에 사용이 중단되었다. 1973년 Scott 등이 처음으로 소개한 팽창형음경보형물과 더불어 1983년에 개발된 AMS의 AMS 700®과 Mentor의 3조각 팽창형음경보형물이 현재의 팽창형음경보형물의 근간이 된다. 최근 들어 AMS에서는 parylene코팅과 미노신(minocine)과 리팜핀(rifampine)이 처리된 Inhibizone 700 CX®계열과 700 LGX®가 생산되며, Coloplast에서는 친수성 피막(hy-

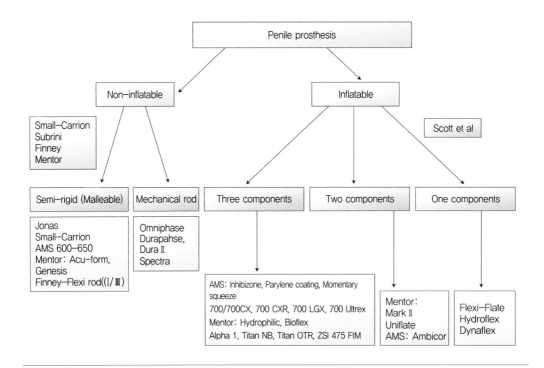

그림 3 보형물의 종류

drophilic coating)을 가진 Titan OTR®을 생산하고 있다. Coloplast 팽창형음경보형물의 10년 생존율이 56-78%, AMS 팽창형음경보형물은 59-85%이며, 비팽창형은 3-12년 생존율이 83-95%로 보고되었다.

4. 보형물의 특성(표 2)

1) 세조각팽창형 음경보형물

실리콘의 사용은 팽창형음경보형물을 크게 발전시켰으며, 팽창형음경보형물의 실린더의 재질인 실리콘의 단점을 개선하기 위하여 Coloplast에서는 실린더의 기본재료를 Bioflex (polyure-thane)를 사용하여 단위면적당 작용하는 힘에 잘 견디게 하였고, AMS에서는 3겹의 직물로 만들어진 섬유를 사용하고 표면에 parylene을 입혀 실린더의 강도를 높였다. 실린더의 자가팽창 (autoinflation)을 막기 위하여 일정한 압력까지 잠금이 되는 장치(lock-out valve)에도 괄목할 만한 발전이 있었다. 이 장치를 AMS는 펌프에 설치를 하였으며, Coloplast에서는 리저버의 입구에 설

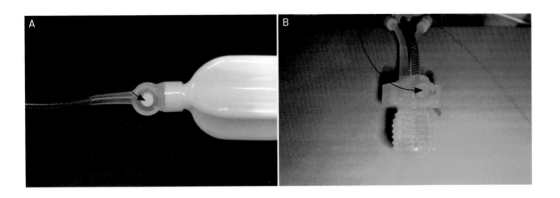

그림 4 잠금밸브의 종류(위치). A: Coloplast. B: AMS

치하여 복부의 힘에 의하여 원치 않는 상황에서 실린더의 팽창이 일어나는 현상을 거의 없앴다(그림 4).

　또한 튜브의 꼬임을 방지하기 위하여 AMS에서 꼬임방지용 튜브와 미리 연결된 실린더를 개발하였고, Coloplast에서는 나일론으로 보강을 시킨 후 실린더와 펌프를 미리 연결해 튜브에서 발생하는 합병증을 줄였다. 리저버는 AMS에서 은폐형(conceal)형을 개발하였으며, Coloplast에서는 클로버잎(cloverleaf)형을 만들어 레찌우스(Retzius) 공간을 사용하기 어려울 때 복부의 근육 밑에 위치시킬 수 있도록 하였다. Coloplast에서 75와 125ml, AMS에서는 65와 100ml 크기의 구(spherical)형과 100ml 크기의 은폐형을 생산한다(그림 5). AMS는 항생제(rifampin®과 minocine®)를 보형물의 표면에 침투시켰고, Coloplast에서는 침수성 피막(hydrophilic coating)을 하여 수술 후

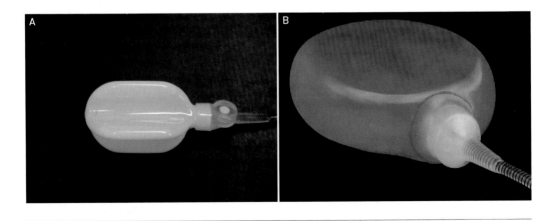

그림 5 리저버의 종류. A: Colpoplast사의 cloverleaf 형. B: AMS사의 은폐(conceal)형

감염의 발생빈도를 확연하게 낮추었다.

2) 두조각팽창형 음경보형물

두조각형의 팽창형음경보형물은 AMS에서 나오는 Ambicor®가 있으며 리저버가 실린더에 포함되어 있다(그림 6).

3) 비팽창형 음경보형물

(1) 기계형 비팽창형 음경보형물

기계형에는 1984년에 Dacomed에서 만든 Omniphase®와 Dacomed에서 판매한 Duraphase®가 있으나, 기계적인 결함이 많아 Omniphase®는 사용이 중단되었고, Duraphase®는 Dura II로 개선 변경되어 AMS에서 판매되고 있다. 기계형 음경보형물은 한 손가락으로도 작동이 가능해 정신적으로나 육체적으로 장애가 있는 환자에서 보다 쉽게 작동이 가능한 장점이 있다. Dura II는 13cm의 길이를 가지며 뒤쪽끝확장기(rear tip extender) 사용이 가능하며 10, 13mm의 직경을 갖는다. 가장 작은 길이가 15cm이어서 성기의 길이가 작거나 둘레가 가는 환자에서는 사용이 어렵다. AMS의 Spectra®는 9.5, 12, 14mm의 둘레를 가진다.

(2) 반고체형(semi-rigid) 비팽창형 음경 보형물

부드러운 반고체형(semi-rigid) 음경보형물인 Small-Carrion과 Finney 한 조각 비팽창형 음경보형물(Flexi-flate)은 1970년 이후로 생산이 중단되었다. 연성형(malleable) 음경보형물은 AMS의 AMS 650®과 600 M®이 있으며 AMS 650®은 실리콘 껍질을 포함하여 13mm의 둘레를 가지며 껍질을 벗기면 11mm의 두

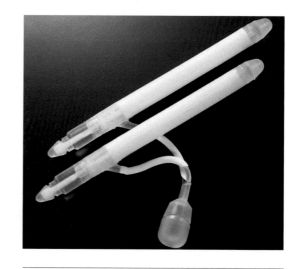

그림 6 AMS사에서 생산된 두조각팽창형 보형물(Ambicor®)

표 2 최근 사용되는 음경보형물의 특성

	AMS	Coloplast
Malleable	Spectra	Genesis
	Alternating titanium and polyethylene segments	Hydrophilic coating
	MRI conditional	Lengths = 12, 14, 16, 18, 20, 22, 24cm
	Lengths = 12, 16, 20cm	Diameters = 9.5, 11, 13mm
	Diameters = 9.5, 12, 14mm	
2-piece IPP	Ambicor	
	Parylene coating	
	Reservoir contained in pump	
	Lengths = 14, 16, 18, 20, 22cm	
	Diameters = 12.5, 14, 15.5mm	
3-piece IPP	All devices	All devices
	Momentary Squeeze	Hydrophilic coating
	Parylene coating	Bioflex material
	Inhibizone	Titan NB
	700 CX	Narrow base
	Lengths = 12, 15, 18, 21, 24cm	Lengths = 12, 14, 16, 18, 20, 22cm
	Dilation ≥ 12mm recommended	Dilation ≥ 10mm recommended
	700 CXR	Titan OTR
	Narrow base	Hydrophilic coating
	Lengths = 10, 12, 14, 16, 18cm	0° tubing
	Dilation ≥ 10mm recommended	OTR
	700 LGX	Lengths = 12, 14, 16, 18, 20, 22, 24, 26, 28cm
	Lengths = 12, 15, 18, 21cm	Dilation ≥ 12mm recommended
	Increases in girth and length	
	Dilation ≥ 12mm recommended	
Reservoirs	Spherical	Clover leaf CL
	65 and 100ml	75 and 125ml
	Conceal	Lockout valve incorporated
	100ml	
	Flat profile optimal for submuscular abdominal	

AMS = American Medical Systems; IPP = inflatable penile prosthesis; MRI = magnetic resonance imaging; OTR = one-touch release.

께를 갖는다. 12, 16, 20cm의 길이로 생산이 되며 뒤쪽끝확장기의 사용이 가능하다. AMS 600 M®은 껍질을 포함한 둘레가 11.5mm이며 벗기면 9.5mm의 둘레를 갖는다. 12, 14, 16, 18cm의 길이로 생산되며 뒤쪽끝확장기의 사용이 가능하다. Coloplast의 Genesis®는 Acu-Form®에 친수성 피막을 한 것으로 9.5, 11, 13mm의 둘레를 가지며, 항생제 용액에 담그면 항생제가 표면에 붙어 수술 후 보형물의 주위에 퍼져 감염을 줄이는 장점을 가지고 있다.

5. 음경보형물의 선택

사용할 음경보형물의 종류는 여러 가지 요인에 의하여 결정이 되지만 주로 의사의 경험 또는 술기 능력, 환자의 경제적 능력, 환자의 기호 그리고 환자성기의 구조, 이전의 수술 여부, 환자의 정신-신체적 특성 등에 의하여 결정된다(표 3).

표 3 환자의 상태에 따른 음경보형물의 선택

환자의 상태	보형물의 종류	이유
섬유화(약물주입에 따른 음경발기지속)	AMS: CXR® Coloplast Narrow base	해면체 공간이 충분치 않음
페이로니질환/음경만곡증	AMS: CX® Coloplast: Titan Malleable	둘레는 커지나 길이는 길어지지 않음: 음경만곡은 심해지지 않음
손동작이 불편, 정신적인 질환	Malleable 또는 반고체형	작동이 쉬움
성기길이<20cm	AMS: CX® LGX® Coloplast: Titan®	용액이 실린더와 리저버 사이를 충분히 이동하여 최적의 단단함과 이완함을 얻음
작고 가는 성기	AMS: LGX®	실린더가 18%까지 길어지고, 작은 해면체 공간이 팽창 시 실린더의 기형을 예방
복부-회음부 절제수술 넓적다리-넓적다리 동맥 (femoral-femoral artery bypass) 바이패스 방광전적출술 + 새로운 방광	AMS: Ambicor® Malleable	리저버의 사용이 어려움
광범위한 복부-회음부절제술 개복 또는 로봇을 이용한 전립선 절제술	AMS: Ambicor®, CX® 또는 LGX® + 감추어지는 리저버 Coloplast: OTR + 클로바잎 리저버	리저버를 횡근근막(transversalis fascia)과 근육사이에 위치시켜야 함
신경장애	AMS: CX® + 부드러운 실린더	피부관통 적음
위축된 백막	AMS: CX®	
조직이 약하거나 손이 약한 환자	AMS: CX® + 기억성 쥐어짜는 펌프	실린더 디플레이션이 쉬움
젊고 크고, 강력한 성기	Coloplast: Titan 0 degree 실린더 + 접촉펌프	
성기길이>20cm, 둘레>21mm	Coloplast: Titan® 20, 22cm XL 24-28cm 0 degree 각도 실린더	Titan®: 22mm 이상 팽창 AMS CX®: 18mm 팽창
음경형성술 + 발기력발생	ZSI 475 FtM®	

상황에 따른 발기부전, 관계형성문제에 의한 발기부전, 완전히 회복될 수 있는 발기부전, 피부청결 또는 위생문제가 있는 환자, 치료를 하지 않은 당뇨나 고혈압이 있는 환자, 척추손상, 조절되지 않는 당뇨가 있는 환자에서 음경보형물수술은 강력한 금지요건이다(표 4).

표 4 음경보형물삽입수술을 해서는 안 되는 경우

Potential Contraindications for Penile Prosthetic Surgery
Situational ED
ED resulting from relationship conflict
Potentially reversibile ED
Inability to follow instructions
Hygiene issues and skin cleanliness
Noncompliance with concurrent medication (e.g., for hypertension or diabetes)
Spinal cord injury
Uncontrolled diabetes mellitus

ED, erectile dysfunction.

6. 음경보형물삽입수술의 준비

1) 수술 전 준비

(1) 일반적사항

수술 전 준비는 다양한 방법들이 제안되어 있다. 대체로 환자에게 수술 전 3일 동안 비누를 이용하여 회음부를 씻도록(목욕) 권고한다. 수술 전 Chlorhexidine®의 사용의 결과는 기존의 방법과 큰 차이는 없다. 술 전 흡연은 적어도 4주 전에 중단하는 것이 수술부위 감염예방에 도움이 된다. HIV 감염이나 CD4 T-세포수가 300 이하이면 감염률이 높아진다. 소변의 배양에서 균의 감염이 없음을 확인해야 하며, 특히 요도카테터를 오랫동안 삽입하였거나, 신경인성 방광, 하지마비로 정상적인 배뇨를 하지 못하는 경우 적어도 1주일 전에 항생제를 투여하여 배양상 멸균상태로 만들어야 한다. 포경수술을 하지 않은 환자는 음경보형물삽입수술과 같이 하지 말고 필요하다면 미리 하는 것을 권장한다. 전립선 비대증의 내시경 수술이나 인공괄략근삽입술이 같이 시행되는 것은 감염상 문제가 없는 것으로 보고되나 수술 후 환자에게 불편함이 많고, 요도카테터를 수일 동안 유치해야 하기 때문에 감염의 기회를 높일 수 있다.

(2) 동의서 획득

의사는 수술 전 환자의 성적 특성과 성기를 비롯한 신체적 조건을 잘 살피고, 수술동의서를 반드시 받아야 하며, 다른 치료법, 기대해야 하는 것과 잃는 것, 당뇨, 이전의 보형물수술, 심한 흡연과 같이 감염률을 높일 수 있는 질환, 처음 수술 시의 감염율이 0.46-2%에서 재수술 시에

음경보형삽입술 동의서

등록번호		성 명		나이/성별	
진 료 과		병동/병실		주 치 의	
진 단 명					

1. 환자의 현재 상태
☞다음 병력을 체크하십시오

참여 의료진	주치의 (집도의 1)	(이름:)	전문의(전문과목:), 일반의(진료과목:)
	주치의 (집도의 2)	(이름:)	전문의(전문과목:), 일반의(진료과목:)
	시행예정일		

과거병력(질병, 상해 전력)	□유 □무 □이상	알레르기	□유 □무 □미상
특이체질	□유 □무 □이상	당뇨병	□유 □무 □미상
고·저혈압	□유 □무 □이상	마약사고	□유 □무 □미상
복용약물	□유 □무 □이상	기도이상 유무	□유 □무 □미상
흡연여부	□유 □무 □이상	출혈소인	□유 □무 □미상
심장질환(심근경색 등)	□유 □무 □이상	호흡기질환(기침, 가래 등)	□유 □무 □미상
신장질환(부종 등)	□유 □무 □이상	기타	

귀하의 현재 상태는 발기부전이 의심되는 상태입니다.

2. 제안된 수술(시술 또는 검사)의 목적/효과
발기부전의 수술적 치료가 가능합니다.

3. 제안된 수술(시술 또는 검사)의 과정, 방법 및 성공 가능성
가. 음경보형물삽입술은 양측의 음경해면체 내에 보형물을 삽입시켜 발기상태를 임의로 만들어낼 수 있도록 하는 것으로 팽창형과 비팽창형의 두 가지 보형물이 있습니다.
나. 성공의 가능성은 (□99% 이상, □90% 이상, □80% 이상, □60% 이상, □50% 미만, □환자 상태에 따라 다를 수 있음)입니다.

발기상태의 실리콘 보형물
수축상태의 실리콘 보형물
용액 저장고
발기상태의 실린더
수축상태의 실린더
팽창/수축 펌프

4. 수술(시술) 전후 환자가 준수하여야 할 사항
가. 수술(시술 전)
1) 보형물 삽입 시 자연발기능력이 완전 소실됩니다.
2) 보형물 삽입 후 피부나 귀두의 팽창이 없기 때문에 발기 시 팽창감이 적을 수 있습니다.
나. 수술(시술) 후
1) 지연출혈이 발생할 수 있습니다.
2) 수술 봉합부위를 통한 감염이 발생하지 않도록 철저한 환부소독이 필요합니다.

5. 수술(시술 또는 검사) 후 발생 가능한 합병증 및 후유증
주된 합병증으로는 감염, 피부미란, 장기간의 통증, 귀두부굴곡, 기형, 발기 시 길이가 1-2cm 짧아짐 등이 있습니다.
감염이 발생했을 때에는 항생제 치료와 더불어 모든 보형물을 제거해야 하며, 감염이 완전히 호전되었을 때 보형물 재삽입 수술을 시행합니다.

6. 이 수술(시술 또는 검사) 이외의 시행 가능한 다른 치료방법
가. 약물복용, 음경해면체 내 발기유발의 자가주사 등
나. 음경동맥제건술, 음경정맥결찰술, 음경정맥동맥화수술 등이 있으나 반응이 약할 때 실시합니다.

7. 치료를 받지 않았을 경우 발생 가능한 결과
성관계 시 정상적인 삽입이 어려우며 불임의 원인이 될 수 있습니다.

8. 수술(시술 또는 검사) 방법의 변경 또는 수술 범위의 추가 가능성
수술(시술·검사) 과정에서 환자의 상태에 따라 부득이하게 수술(시술·검사) 방법이 변경되거나 수술범위가 추가될 수 있습니다.

9. 주치의(집도의)의 변경 가능성
수술(시술·검사) 과정에서 환자의 상태 또는 병원의 사정(응급환자의 진료, 주치의(집도의)의 질병 등 일신상 사유, 기타:)에 따라 부득이하게 주치의(집도의)가 변경될 수 있습니다.

그림 7 음경보형물삽입술 시 사용하는 동의서(예)

는 10-13.3%로 증가하는 것에 대한 충분한 설명을 해야 한다. 감염 후의 재수술 방법, 보형물의 고장률, 수술 후 통증과 음경의 길이와 둘레가 짧아지는 것, 귀두부위는 발기가 되지 않는 것, 리저버의 다른 공간으로의 이동가능성 등에 대하여 세심한 설명과 더불어 환자의 동의를 받아야 한다. 또한 보형물의 보증기간, 수술 후 발생 가능한 구조적 결함인 supersonic transport (SST) 결함과 실린더류, 기계의 고장이나 감염, 감염으로 인한 재수술 시 수술이 불가능할 수 있음과 보형물과 수술 시 발생비용의 지불에 대하여 충분한 설명과 동의를 얻어야 한다(그림 7).

(3) 수술실에서의 준비

항생제는 수술 1시간 전에 투여하여 절개 시 조직에서의 항생제의 최고농도를 맞추는 것이 필요하며, 항생제는 적어도 24시간까지 지속투여 되어야 한다. 감염을 일으키는 균은 Staphylo-coccus와 그램음성 막대형(gram negative rod)균이다. 물론 항생제의 경정맥투여도 중요하지만 수

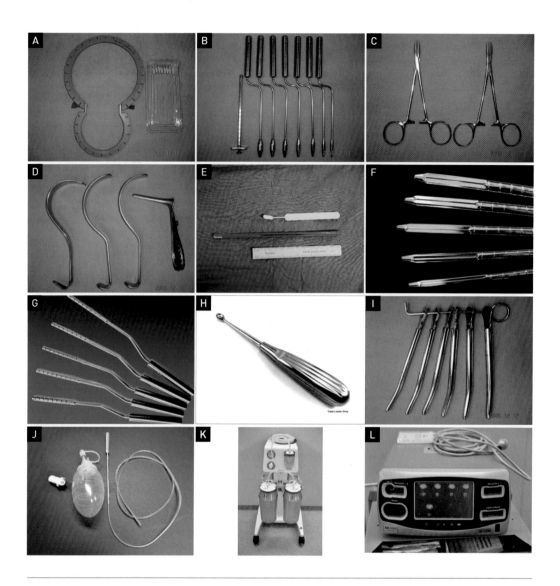

그림 8　음경보형물삽입술 시 필요한 기구. A: Scott retractor®와 hookers. B: Brooks 확장기®와 Furlow®. C: 실리콘커버가 씌워진 여러 개의 모스퀴토 포셉(10개 이상). D: baby deaver®와 끝이 긴 비경. E: 실린더보호기. F: Mooreville cavernotome®. G: Carrion-Rosellow cavernotom®. H: Curret®. I: 헤가확장기®. J: Jackson-Pratt(J-P) drainage system(INNO-VAC®). K: suction device. L: electric surgical unit

술 중 수시로 항생제(gentamycine®160mg/500ml 생리식염수) 용액을 이용한 수술부위 세척은 세 균감염을 줄이는 데 그 어느 과정보다 중요하다. 논란이 있기는 하나 환자의 수술부위는 마취 가 된 상태에서 수술직전 수술 실에서 털을 제거하고 알코올을 기반으로 한 강력한 소독약으 로 씻는 것이 좋으며, 수술장비는 철저히 준비하는 것이 좋고, 수술참가자 특히 집도의는 손을 적어도 10분 이상 스크럽(scrub)을 하는 것이 필요하다. 혹자에 따라서는 환자가 수술에 들어가기 전에 샤워를 하는 것이 감염을 줄인다고 주장하기도 한다. Chlorhexidine+mupiroino®을 이용한 소독은 대조군에 비해 감염율을 7.7% 대 3.4%로 낮춘다. 음경보형물의 기계적 고장으로 재수술을 할 때 임상적으로 감염이 없는 환자에서 고장난 보형물의 표면을 배양했을 때 70%에서 균이 배양이 되는데 이는 바이오필름에서 유래한다고 본다.

수술 중 보형물과 환자의 피부가 가능한 한 닿지 않도록 하여야 하며, 때때로 음경해면체의 공간이 좁아진 환자들이 있으므로 cavernotomes (Carrion-Rosello® cavernotomes, curreting Moorville penile cavernotomes®), curret, Brooks dilator® 또는 헤가확장기®를 준비해야 한다. 모든 수술도구는 수술 전에 충분히 씻어 기구에 묻은 다른 이물질을 완전히 없앤 후 소독을 해야 한다.

7. 수술과정

1) 수술도구의 준비

Scott retractor®와 hookers(8-A), 또는 Brooks 확장기®와 Furlow®(8-B), 실리콘커버가 씌워진 여러 개의 모스퀴토 포셉(8-C, 10개 이상), baby deaver®와 끝이 긴 비경(8-D), 실린더보호기(8-E), Mooreville cavernotome®(8-F), Carrion-Rosellow cavernotom®(8-G), 또는 Curret®(8-H), 헤가확장기®(8-I), 4각형 손잡이의 트로카가 연결된 튜브로 구성된 Jackson-Pratt(J-P) drainage system(IN-NO-VAC®)(8-J), 흡인기(suction device)(8-K), electro surgical unit(8-L), 긴 메쩬바움 가위 등이 있어야 수술이 원할하게 마무리될 수 있다.

2) 환자의 준비 및 수술 시 위치

환자는 수술실에 입실하여 수액주입을 위한 혈관라인을 잡은 후 수액과 항생제를 투여하고 마취를 시작한다. 투여하는 항생제는 Staphylococci와 그램음성막대형균(대장균)의 감염을 없앨 수 있는 것(vancomycin®, gentamicin®)을 수술시작 1시간 전에 주사하며, 하복부와 성기 회음부를 Chlorhexidine®으로 여러 번 문질러 세척한 후, 음경, 음낭, 하복부 및 회음부의 음모를 제거한다. Chlorhexidine®/70% 알코올 혼합액 또는 betadine®으로 소독을 하고, 골반을 높이며, 하복부가 편평하게 되도록 수술테이블을 굽힌다. 실리콘은 양전기를 가지고 있기 때문에 공중에 있

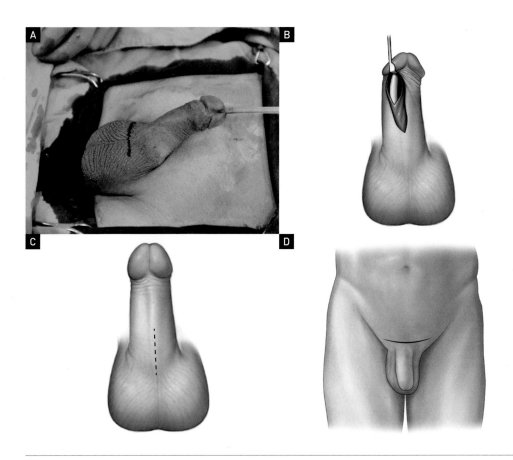

그림 9 피부절개 방법. A: 높은 음낭횡절개(transverse high scrotal incision). B: 음경음낭절개. C: 음경절개(penile incision). D: 골반하 절개(infrapubic incision)

는 먼지를 끌어당길 수 있어 Staphylococci와 그램음성 막대형균의 감염을 막는 항생제용액으로 수술 시작 전부터 수술이 끝날 때까지 지속적으로 세척하는 것이 매우 중요하다. 특별히 음경보형물을 인체에 삽입하기 직전에는 주변을 여러 번 세척하는 것이 감염예방에 도움이 된다.

3) 피부의 절개

팽창형음경보형물을 넣기 위한 절개 방법은 음낭절개, 음경음낭절개(penoscrotal incision), 골반골하(infrapubic) 절개, 원위부 음경절개(penile incision) 방법이 있으며, 일반적으로 횡-상부음낭(transverse high scrotal) 절개방법을 선호한다. 반고체형을 넣기 위한 방법으로는 술자에 따라 음경근위부의 전방부피부를 절개하거나, 귀두하(subcoronal) 절개를 하기도 한다(그림 9).

음낭절개법은 음경배부신경이나 혈관을 손상시키지 않으며, 해면체의 근위부를 깊게 절개를 하거나 근위부 백막 파열 시 가능하고, 음낭에 펌프를 보면서 위치시킬 수 있으며, 음경백막의 고정과 해면체공간확장을 시야하에서 할 수 있는 장점이 있다. 단점이라면 리저버의 삽입을 위한 과정이 보이지 않는 상태(blind)로 진행이 되어 초보의 술자에게는 방광의 파열 또는 복강내 장기의 손상이 부담이 될 수 있고, 근치적 전립선절제수술로 인해 골반골과 방광이 단단히 붙어 박리가 어려울 때, 또다른 하복부의 절개를 해서 리저버를 넣을 공간을 만들고, 복부근육 뒤로 넣을 때 역시 보이지 않는 상태에서 해야 하는 단점이 있다. 골반골하(infra-pubic)절개는 리저버의 삽입이 시야하에서 이루어지나, 음경배부동맥 및 신경 손상비율이 높고, 백막의 절개 및 해면체의 공간확보가 제한적이며, 펌프의 고정이 보이지 않은 상태에서 이루어지는 단점이 있다. 음낭절개법의 사용 시 달토스 근막(Dartos fascia)은 튜브나, 연결기를 감싸 감염 또는 튜브에 의하여 튀어나온 부분이 주변의 옷과 닿을 때 생기는 불편감을 줄이는 역할을 할 수 있다(표 5).

표 5 피부절개방법에 따른 특징

절개방법	장점	단점
음낭피부	■ 음경배부신경 또는 혈관 손상 없음. ■ 근위부해면체 조작 및 확장증가 가능 ■ 음낭에 펌프유치가 시야에서 이루어짐 ■ 백막절개와 확장이 시야에서 가능 ■ 다수의 구조(multiple components)로 구성된 음경보형물(팽창형)에 적합	■ 리저버의 삽입시 보이지 않는 상태에서 실시
골반하 피부	■ 리저버의 삽입이 시야하에서 가능 ■ 백막의 노출과 해면체 확장이 쉬움 ■ 다수의 구조(multiple components)로 구성된 음경보형물(팽창형)에 적합	■ 음경배부동맥 및 신경 손상 높음 ■ 펌프를 보이지 않는 상태로 삽입 ■ 근위부 해면체 노출이 어려움 ■ 튜브나 연결기를 근막으로 둘러싸기 힘듦 ■ 골반 수술 시 리저버 삽입을 위한 새로운 절개가 필요
귀두하 피부	■ 반고체(semi-rigid)형 또는 유연한(malleable) 경우 절개의 부위 쉽게 노출	■ 팽창형음경보형물 삽입은 불가능함

4) 해면체의 절개 및 확장

해면체의 절개는 원위부에 가깝게 하고, 절개면의 길이는 반고체형 음경보형물인 경우 팽창형음경보형물보다 길게 해야 하며, NB IPP (narrow base inflatable penile prosthesis)형인 경우 10

mm, 표준 IPP인 경우 12mm까지 확장해야 실린더의 삽입이 용이하다. 수술 도중 구조적인 문제(섬유화 또는 공간이 적은 경우) 가 있어 확장이 어려운 경우 직경이 2-3mm 정도 작은 팽창형 또는 반고체형을 넣는 것이 좋으며, 필요시 수술 3-6개월 후 일정한 직경의 해면체공간이 형성되었을 때 원하는 크기의 실린더로 교체가 가능하다. 처음에 무리한 확장을 하는 경우 요도나 음경의 원위부 또는 근위부의 파열이 발행할 수 있으며, 해면체 확장을 위한 장시간의 수술은 감염발생빈도를 높인다.

5) 수술과정(Surgical procedures)

(1) 요도카테터(Foley catheter)와 소변백의 유치

요도카테터의 유치는 백막절개와 해면체확장 등의 과정에서 요도의 위치를 파악하는 데 매우 중요하다. 리저버를 넣기 위한 레찌우스 공간을 마련하기 위하여 메쩬바움가위(Mezenbaum scissors)로 복근막을 뚫을 때 방광의 손상이 있을 수 있으므로 이를 예방하기 위하여 방광의 소변을 모두 배출시킨 후 수술을 진행한다. 카테터는 18-20French 직경을 가진 것을 사용한다.

(2) 피부의 절개

음낭의 피부를 절개하기 전에 필요한 만큼의 길이를 피부에 표시를 한 후 절개를 시도한다. 음낭의 피부는 중간피부선을 세로로 약 3-5cm로 하거나 음경-음낭 연결부위보다 약 1cm 아래의 위치에 횡으로 3-5cm 정도 절개한다. 음낭피부를 절개한 후 날카로운 메쩬바움가위로 피부하 연조직을 자르고 벌린 다음 Sccot 원형견인기를 설치하고 음경-골반(penile-pubo)에 횡으로 고정 튜브를 고정시킨다. 절개한 음낭의 피부와 연조직을 고리(hooker)로 걸어 고리끝의 고정용 튜브를 Sccot 견인기의 홈에 적절히 고정을 한다.

(3) 백막의 고정

절개부위를 잘 노출시킨 후 절개할 쪽의 백막 전면에 있는 연조직을 잘 제거하여 백막이 완전히 노출되면 마른 거즈로 잘 닦은 후 절개할 부위에 2-3cm 길이로 절개선을 세로로 표시한다. 선을 표시할 때는 카테터가 들어있는 요도가 표준이 되며, 요도의 가장자리에서 양 옆으로 약

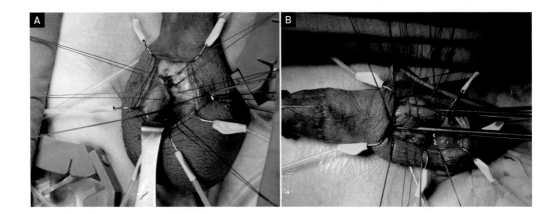

그림 10 고정-보강봉합용 봉합사의 위치. A: 절개면 양측에 봉합사를 세로로 관통한 사진. B: 해면체 확장 시 절개부를 견인하고 있는 고정-보강봉합용 봉합사

7-10mm 위치에 세로로 표시를 한 후 흡수성 봉합사(Vicryl®)를 이용하여 절개할 선의 바로 양측면에 고정-봉합보강용 봉합사(stay-reinforcing suture)용으로 세로방향으로 약 5mm 길이로 밖에서 안으로 백막을 통과하여 다시 백막으로 나오게 하는데, 약 1cm 간격으로 같은 위치의 3-4군데를 고정-봉합보강용 봉합사를 관통시켜 모스퀴토견인기로 잡아 놓아 백막절개, 해면체확장, 해면체길이측정 시 고정용 봉합사(stay suture) 역할을 하고, 나중에 실린더를 해면체에 삽입한 후 백막을 봉합할 때 보강용 봉합사(reinforcing suture)로 매우 유용하게 사용한다(그림 10).

이 고정-보강봉합용 봉합사는 백막절개 시 수술시야를 고정하는 역할뿐 아니라 해면체 확장시 지주역할, 백막봉합 시 보강봉합의 세 가지 역할을 한다.

(4) 백막절개, 해면체확장 및 길이측정

백막절개 시 절개선 양측에 위치한 고정봉합사를 고정한 모스퀴토견인기 중 근위부를 관통한 봉합사부터 양측으로 당기면서 이미 백막에 표시된 절개선을 따라 흡입관을 대고 소작기로 아래쪽에서 위쪽으로 순서대로 절개하는 것이 출혈로 인한 시야방해를 막는다. 백막이 절개되면 절개면의 양측에 위치한 고정용 봉합용 봉합사를 양측으로 당겨 백막을 양측으로 벌려 해면체의 상태를 확인한 후 필요시 조직검사용을 일부 제거하고, Mayo curved 가위 끝을 절개한 백막 안쪽으로 넣어 음경의 원위부 쪽으로, 음경의 측방향(lateral)의 백막안쪽을 긁는 것처럼

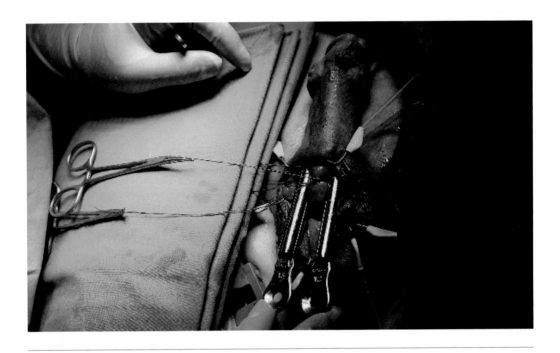

그림 11 두 개의 헤가확장기로 해면체 공간 확인

따라가 귀두부위의 백막까지 닿게 하며 이때는 귀두 외부에 손가락을 대고 촉지하면서 확장하여 가위끝에 의해 백막이 관통되지 않게 해야 한다. 이때 걸리는 부분이 있으면 가위를 살짝살짝 벌려 걸리는 부위를 끊어 공간을 만든다. 같은 방법으로 근위부 해면체에 공간을 만든다. 해면체의 근위부는 해부학적으로 양측 골반골을 향하고 있으므로 가위 통과 시 반드시 이 방향을 생각하면서 해면체의 바깥쪽을 향하게 이동하여 요도의 손상이나 반대쪽 해면체로 이동하는 것을 방지해야 한다. 물론 가위를 사용하지 않고 8번 확장기를 먼저 사용할 수 있다. 일단 가위를 사용하여 작은 공간이 만들어지면 8번 확장기부터 사용하여 해면체의 상태에 따라 12-13 번까지 원위부와 근위부를 번갈아 확장한다. 확장하는 순서는 원위부를 먼저 확장하여 해면체의 상태를 확인하고 확장의 정도와 깊이를 결정하는 것이 바람직하다. 확장이 다 되면 Furlow device®로 근위부와 원위부의 해면체 내부의 길이를 측정하여 삽입할 실린더의 길이를 정한다. 가위 또는 확장기로 확장을 할 때 너무 강한 힘을 주면 백막이나 요도를 뚫게 되므로 과도한 힘은 피한다. 물론 확장 시 섬유화가 의심이 되면 cavernotome을 사용하여 여러 번 왕복하여 섬유화 된 부분을 제거한다. Cavernotome이 없으면 효과는 떨어지지만 외과에서 사용하는

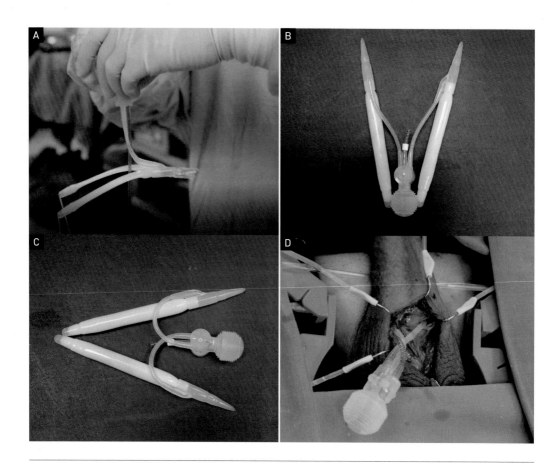

그림 12 펌프를 들었을 때와 바닥에 놓았을 때 정상과 비정상적인 실린더와 튜브의 위치. A: 정상적인 실린더의 방향. B: 정상적인 실린더와 펌프위치. C: 보형물을 바닥에 놓았을 때 한쪽 실린더가 360도 회전하여 튜브가 꼬임(X모양). D: 실린더가 360도 과회전 하여 튜브가 X모양으로 꼬여 음경요도를 누름

Curette®을 사용해도 도움이 된다(그림 8G, H).

같은 방법으로 반대쪽의 해면체를 확장하여 실린더를 넣을 공간을 확보한다. 확장한 양측 해면체공간에 10, 12번 헤가확장기를 각각 넣어 정상적으로 위치를 하는지 확인한다(그림 11).

만일 두 확장기의 끝이 정상적으로 위치하지 않는다면 정상쪽의 헤가확장기는 그대로 두고 반대쪽해면체를 다시 같은 방법으로 반복 확장하면 된다. 원위부 해면체 공간이 작은 경우 양 해면체 사이에 있는 격막(septum)은 가능한 한 파괴되지 않도록 하여 실린더 삽입 후 실린더의 끝이 반대쪽으로 이동하지 않도록 한다. 나머지 해면체도 Furlow device®로 길이를 측정하여 양 측실린더의 길이가 대개는 같지만 차이가 0.5cm 미만이면 큰 무리가 없으므로 실린더를 삽입하

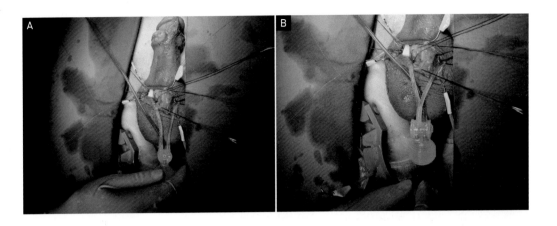

그림 13 실린더 위치의 비교. A: 실린더가 정상위치를 취했을 때 펌프의 정상위치. B: 좌측 실린더가 360도 더 돌아가 펌프가 90도 좌로 돌아감

는 과정으로 들어가도 된다. 골반골이 다쳤거나 섬유화가 된 경우는 양측해면체길이가 차이가 있으므로 주의하면서 해면체 공간을 확보하고 안되는 경우는 리어팁 확장기로 길이를 조정한다. 해면체 공간이 적절히 확장되었으면 삽입할 실린더를 준비한다. 물론 틈이 날 때마다 항생제가 섞인 용액으로 약간의 압력을 주어 세척을 하는 것은 감염예방을 위해서는 필수적이다.

(5) 실린더와 펌프의 준비

실린더와 펌프가 튜브로 연결된 상태로 공급이 되는 경우에 음경보형물을 준비하기 위하여 보조자가 실린더와 펌프의 공기를 흡입하여 제거하고 생리식염수를 채우는 과정을 여러 번 반복하게 되는데, 공기를 빼고 생리식염수를 채운 후와 제거한 상태로 공중에서 펌프를 잡고 들어 양측 실린더가 자연스럽게 움직일 수 있도록 했을 때 양측 원위부 실린더가 같은 방향을 향하고 있는지, 튜브는 꼬이지 않았는지 확인해야 한다. 이때 주의를 하지 않으면 실린더가 360도 돌아갈 수 있으며, 360도 돌아간 상태로 해면체에 넣게 되면 튜브도 같이 돌아가 추후 요도협착을 일으킬 수 있다(그림 12. 실린더의 정상위치와 360도 돌아간 위치(그림 13)).

(6) 실린더의 해면체내 삽입

실린더의 원위부에 고정되어 있는 실을 바늘에 꿰어 Furlow®의 내부에 안착시킨 후 원위부를

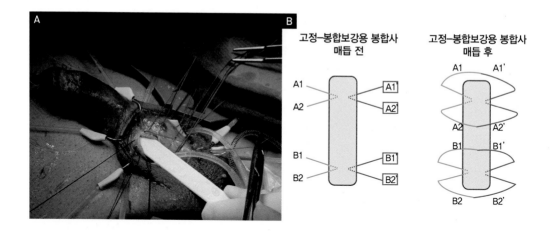

고정–봉합보강용 봉합사
매듭 전

고정–봉합보강용 봉합사
매듭 후

그림 14 고정-봉합보강용 봉합사 매듭 방법. A: 절개면 양측에 세로로 위치한 매듭 전 봉합사. B: 각각의 고정-봉합보강용 봉합사를 귀두쪽 봉합사는 귀두쪽 봉합사(A1과 A1') 끼리, 음낭쪽 봉합사는 음낭쪽 봉합사(A2와 A2') 끼리 매듭 후 모양

향하여 Furlow device®를 백막 내부에 넣고 백막의 내측면에 밀착시켜 귀두부위까지 이동시킨 후 Furlow device®에 들어 있는 바늘을 밀어 귀부의 표면을 뚫고 나오게 한다. 이때 바늘이 각 귀두부의 정중앙을 통과하지 못하면 귀두부의 요도를 관통하거나 귀두부 측면을 관통하므로 주의해야 한다. 다음에는 근위부에 실린더의 끝 부분을 삽입하되 실린더와 펌프를 연결한 튜브가 꼬이지 않게 튜브가 보이게 넣고, 귀두부를 통과한 실린더원위부의 실을 잡아당기면서 실린더가 해면체공간에 위치하게 한다. 술자에 따라 실린더를 근위부 먼저 넣고 원위부를 나중에 넣기도 한다. 이 때는 대부분 펌프가 평평한 상태를 유지한다(그림 13).

(7) 백막의 봉합

실린더보호기를 절개된 백막의 안쪽 실린더의 바깥쪽에 넣어 절개된 백막의 봉합 시 실린더가 바늘에 의하여 손상되지 않게 보호하면서 백막을 지속적인 방법으로 봉합을 한다. 틈틈이 귀두부위의 봉합사를 당겨 실린더가 구부러지지 않도록 한다. 이때 절개된 백막의 양측에 세로(longitudinal)로 같은 높이로 백막에 고정되어 있는 고정-봉합보강용 봉합사가 백막을 관통한 위치마다 원위부는 원위부끼리 근위부는 근위부끼리 묶어 백막의 봉합을 보강한다(그림 14). 백막의 봉합은 물이 새지 않게 촘촘히 흡수용봉합사로 지속봉합을 해주어야 한다.

(8) 펌프의 위치

펌프는 리저버를 위치시킨 후 리저버의 튜브와 펌프의 튜브를 적절한 길이로 자른 후 연결한다. 그러나 술자에 따라 실린더에 연결된 펌프가 피부에 닿은 것을 방지하기 위하여 음낭의 근막을 Allis clamp®로 잡은 후 근막안쪽과 요도아래 부분 사이에 2-3cm 길이로 가운데 있는 scrotal-spongiosal septum을 절개한 후 외측정계근막(external spermatic fascia) 안쪽 가운데에 달토스근막하 주머니(septal subdartos pouch)를 만들고, 출혈을 확인한 후 리저버의 삽입이 마무리 될 때까지 항생제가 묻어 있는 거즈로 패킹을 시켜 놓는다. 리저버의 삽입이 마무리되고 실린더와 리저버의 튜브를 연결한 후 음낭에 있는 거즈를 제거하고 그 자리에 펌프를 위치시킨다(그림 15).

(9) 리저버의 삽입

음낭 또는 음경음낭의 절개 시, 절개부위를 통해 정계(spermatic cord)의 주행하는 방향을 따라 손가락으로 먼저 박리를 하면 서혜부 또는 하복부까지 진입한다. 하복부까지 진입이 되면 Baby deaver®를 절개부위를 통해 넣어 머리쪽으로 들어 올리면 복근막위의 지방이 보이고, 지방을 메쩬바움가위 끝으로 벌려서 하복부근막을 확인한다. 메쩬바움가위로 하복부 근막을 관통하기 전에 미리 하복부를 손으로 눌러 요도카테터로 방광의 소변을 모두 배출시켜야 메쩬가위 관통 시 방광의 손상을 막을 수 있다. 방광이 완전히 빈 것을 확인한 후 테이블의 머리부분을 완전히 바닥으로 기울어지게 하고 서혜부 인구이날 링(inguinal ring)의 약간 내측, 또는 인구이날 링과 복부의 정중앙선 사이(pubic tubercle 위)를 메쩬가위 끝으로 '폭' 하는 소리가 나게 관통시킨 후 메쩬바움가위 끝을 벌려 관통된 부위를 넓힌다. 복부외근막이 강하게 발달된 환자에서는 관통이 쉽지 않을 수 있으며 이때는

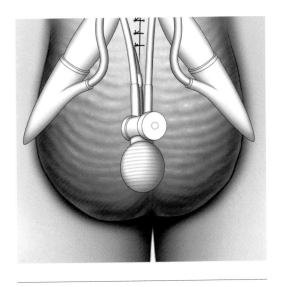

그림 15 고음낭 가운데의 달토스근막하 주머니(septal subdartos pouch)에 위치한 펌프

모노폴라 cautery로 1cm 정도 외근막을 절개하면 관통이 쉽다. 가위의 끝이 복부외근막을 통과하는 정도에서 관통을 멈추고 이때부터는 가위의 끝을 벌려 손가락이 들어갈 정도의 구멍을 만들고 손가락으로 필요한 만큼 벌려 방광전방부와 골반골 사이의 레찌우스공간에 리저버가 놓일 수 있는 공간을 만든다.

레찌우스 공간을 만들 때는 방광이 파열되지 않도록 골반골에 붙은 근막을 조금씩 밀어 박리를 해야 하며, 특히 방광 또는 전립선을 제거하는 수술을 받은 경우에는 섬유화로 방광과 골반골 내면이 단단히 부착되어 있으므로 무리하면 방광 또는 복막 및 장파열이 발생할 수 있다. 골반부위의 수술을 해서 방광주변의 섬유화가 심한 경우 방광의 정중앙을 분리하는 것보다는 약간 외측으로 박리를 해보고, 어려울 경우에는, transversus abdominis 근 내측과 transversalis 근막 사이에 공간을 만들어 리저버를 넣는 것도 한 방법이다(그림 16).

정상적으로 레찌우스공간에 리저버를 넣을 공간이 만들어지면 손가락 대신 길이가 긴 비경(NASAL speculum®)을 벌려 리저버를 넣되 리저버의 끝을 먼저 넣거나, 튜브가 달려 있어 단단한 부분을 넣거나 상관은 없으나 lock-out valve가 있는 Coloplast 제품인 경우에는 lock-out valve가 손상되지 않도록 해야 한다. 리저버의 삽입이 끝나면 손으로 적당한 위치에 놓이도록 하고, 리저버에 달린 튜브의 끝을 이미 확보된 공간을 따라 음낭쪽으로 내려놓되 충분한 길이를 레찌우스 공간에 남겨두는 것이 좋다(추후 재수술을 할 경우 리저버가 문제가 없는 경우 튜브를 조금 잘라낸 후 다시 사용을 하여 튜브의 길이가 1cm 이상 짧아지므로 여러 번 재수술을 할 경우에 튜브의 길이가 짧아지면 리저버가 당겨지게 되고 리저버가 팽창되어 있을 때 리저버의 끝이 방광이나 복박을 압박하여 구멍이 생겨 리저버의 이동이 생길 수 있음).

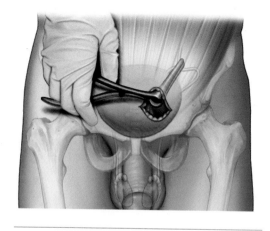

그림 16 리저버가 놓일 서혜부(transversus abdominis근 내측과 transversalis 근막 사이)

리저버와 튜브의 위치선정이 마무리되면 리저버에 65ml의 생리식염수를 채운 플라스틱 주사기를 연결하고 하복부 밖에서 압박을 가하여 리저버내의 생리식염수를 빼내면 수술 후 자동발기를 줄일 수 있는데 대개 복부를 누를 때 배출 되는 양은 10-15ml 정도이므로 이 양을 미리 빼고 리저버에 주입을 해도 무방하다. 메쩬바움가위로 구멍을 뚫은 복부근막은 흡수용 봉합사로 1-2회 봉합을 해주기도 한다.

(10) 리저버의 튜브와 펌프 튜브연결

튜브끼리 연결할 때는 모스퀴토견인기의 끝을 실리콘 튜브로 씌워서 튜브를 잡을 때 튜브가 파손되지 않게 한다. 리저버가 레찌우스공간에 놓인 후 당겨지지 않은 상태로 펌프에서 나온 튜브를 서로 평행으로 돌아가지 않게 위치시킨 상태에서 연결할 부위보다 적어도 2cm 정도의 양끝을 실리콘으로 끝을 씌운 모스퀴토로 잡는다. 특히 펌프쪽의 튜브가 짧으면 펌프 때문에 튜브의 연결이 어려울 수 있으므로 펌프쪽의 튜브를 더 길게 남기고 리저버쪽의 튜브를 조절하는 것이 바람직하다.

(11) 절개부위의 처치

튜브의 연결이 완성이 되면 보조자가 음낭외부에서 펌프를 발쪽-등쪽으로 잡아당겨 연조직의 봉합 시 튜브나 펌프의 손상이 발생하지 않도록 하고 펌프의 위치를 음낭의 연조직에 고정을 한다. 펌프가 고정이 되면 좌측 실린더로 가는 튜브를 연조직으로 충분히 싸서 피부밖으로 튀어나오지 않게 하고, 역시 우측 실린더와 리저버로 가는 2개의 튜브를 연조직으로 잘 둘러싸 피부밖으로 돌출(erosion)되지 않게 한다. 연조직을 완전히 봉합하기 전에 J-P drainage system (INNO-VAC®)의 튜브끝을 음낭의 가장 낮은 부위에 위치시키고 절개한 음낭의 피부를 연조직과 피부를 각각 3층으로 Vicryl®과 나일론 봉합을 한다. 이때도 펌프를 당겨 튜브가 바늘에

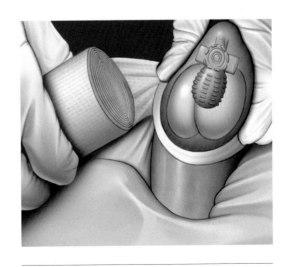

그림 17 Mummy Wrap 드레싱

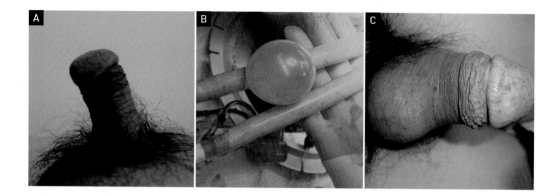

그림 18 수술 후 발생한 부작용. A: supersonic transport (SST) 결함. B: cylinder aneurysm

의하여 구멍이 뚫리지 않게 주의한다.

봉합이 마무리되면 여러 번의 실린더의 팽창과 비움을 반복하여 실린더의 단단한 정도를 평가하고, 만족할 만한 상태가 되면 70-100%의 팽창을 시킨 상태에서 여러 장의 거즈를 펴서 성기를 둘러싼 후 코반드레싱을 해서 음경을 약간 압박을 한다. 때로는 Mummy wrap드레싱을 하기도 한다(그림 17).

6) 수술 후의 관리

(1) 항생제의 투여

항생제는 술자에 따라 사용하는 종류와 기간이 퇴원하는 날부터 수술 후 14일까지 다양하다. 물론 이는 보형물이 감염이 되었을 때 재수술이 어려우며 여러 가지 복잡한 문제를 일으키기 때문이다. 간단한 검사(ALT, AST, BUN, Creatinine)를 해서 환자의 신장이나 간기능이 나쁘지 않다면 사용기간을 술자가 정하는 것도 감염이 발생해 치루어야 할 고통보다는 나쁘지 않다.

(2) 일반적 관리

일반적으로 수술 다음날 요도카테터를 빼고 J-P drainage system (INNO-VAC®)은 배출된 체액의 양이 10-30ml 이하일 때 제거를 하며, 환자가 J-P drainage system (INNO-VAC®)를 빼기 전에 퇴원을 원하면, J-P drainage system (INNO-VAC®)을 부착하고 퇴원했다가 배출량이 10-

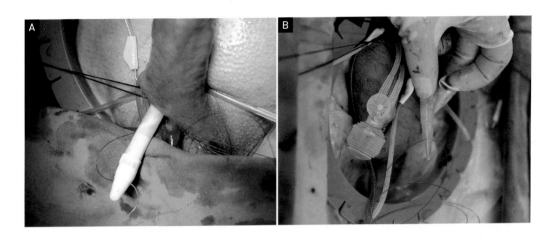

그림 19 음경 근위부백막 파열 시 실린더끝 연장기 사용 방법. A: 연성음경보형물에 부착된 실린더끝 연장기에 prolene®봉합사를 관통시킴. B: prolene® 봉합사를 팽창형음경보형물의 끝에 관통시킴

30ml 이하로 줄어들었을 때 방문하여 빼고 요속검사를 하도록 한다. 성기는 항상 상복부(머리) 쪽을 향하도록 위치시켜야 한다. 수술 후 복부에 강력한 힘이 들어가면 리저버가 서혜부구멍으로 이동할 수 있어 4주간은 과격한 운동은 하지 않도록 주의를 준다. 4-6주 후에 보형물의 사용방법을 설명한 후 성관계를 시도하도록 하며, 초기에는 음낭내의 연조직이 섬유화가 되어 있어 펌프의 구조를 알기도 어렵고, 촉지 또한 어려워 처음에는 보형물의 구조와 위치를 정확하게 알게 하는 것이 필요하다. 이를 위해서는 따뜻한 물속에서 펌프의 위치를 숙지하도록 권하는 것이 도움이 된다. 이때부터는 성관계를 하지 않더라도 1일 1-2회 정도 펌프를 작동하여 실린더를 팽창시키고, 작동 후에는 실린더를 비워 리저버를 충분히 채워 놓는 것이 성기의 통증과 자가팽창을 줄일 수 있다.

8. 수술 중 평가해야 할 몇 가지

1) 혈괴형성 방지

수술부위의 혈괴는 감염을 비롯한 다른 합병증을 초래한다. 통증, 감염의 발생이 높아지며, 보형물의 사용이 늦어진다. 혈괴의 형성을 줄이기 위한 방법으로 Henry-Mummy wrap, 음낭거상, J-P drainage system (INNO-VAC®), Joke strap 등을 사용한다. J-P drainage system (INNO-VAC®)을 12-24시간 유치하는 것이 필요하다. 배출되는 양이 많을 때는 일일 배출량이

30ml 이하까지 유치시간을 연장하는 것이 필요하다. 해면체 내에서 발생하는 출혈을 줄이기 위하여 실린더를 완전발기의 약 80% 팽창을 시켜놓고 코반드레싱 또는 Henry-Mummy wrap 드레싱을 하는 것이 바람직하다(그림 17).

2) 실린더의 길이

실린더의 길이가 짧으면 SST 결함이 생기며, 해면체의 길이보다 긴 실린더를 넣게 되면 S형 결함이 생겨 실린더류를 일으킬 수 있으므로 백막의 봉합전에 발기를 충분히 시켜 양측 귀두 부위가 같은 높이에서 만져지는지 확인한다(그림 18). 일반적으로 양쪽 귀두부에서 만져지는 실린더의 길이가 0.5cm이면 정상으로 판단한다.

3) 근위부 혹은 원위부 끝의 파열

해면체 확장 시 원위부의 백막이 뚫어졌다면 귀두근처의 피부를 절개하여 백막을 노출시킨 후 흡수성 봉합사(PDS)로 개별봉합(interrupted)을 한 다음 1차 봉합부위를 주변의 백막으로 2차 지속보강봉합(continuous reinforcement suture)을 하면 된다. 물론 실린더의 길이는 원래의 길이

보다 약간 짧게 실린더의 근위부 끝이나 실린더 끝 연장기(rear tip extender)를 사용한 경우 실린더 끝 연장기끝 근처를 잘라서 조절한다. 또한 근위부가 파열이 되었다면, 실린더의 끝 연장기 근처(실린더 끝 확장기의 중간부위)에 비흡수성 봉합사(나일론보다는 prolene®이 더 강함)를 관통시켜 봉합사의 양쪽 끝을 각각 절개된 백막의 안쪽에서 밖으로 통과시켜 놓는다(그림 19).

절개된 백막을 흡수용 봉합사로 완전히 봉합하기 전 실린더끝 연장기 또

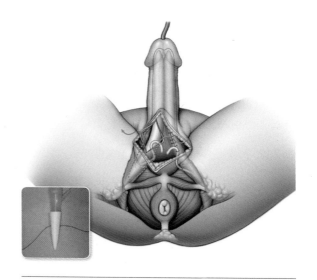

그림 20 보형물의 끝 또는 실린더끝 연장기를 관통시킨 봉합사가 절개된 백막의 안쪽에서 외부로 통과하는 위치. 백막 내면에서 백막 밖으로 관통한다.

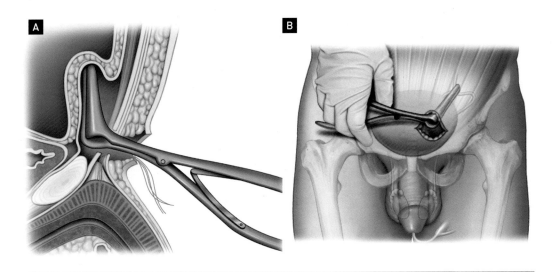

그림 21 하복부에서 비경의 위치(A)와 비경끝의 방향(B)

는 실린더의 근위부를 미리 관통시킨 두 개의 고정용 실(prolene®)을 절개면 양측 백막의 안쪽에서 바깥쪽으로 관통시켜 모스퀴토견인기로 고정해 놓고 나머지 절개된 백막을 모두 봉합한다. 실린더를 충분히 팽창시킨 상태에서 양쪽 귀두밖으로 나와 있는 원위부 실린더 끝에 고정되어 있는 인도용 실을 당겨 양쪽 귀두부를 같은 높이로 고정시킨 후 근위부 실린더 끝 또는 실린더 끝 연장기를 관통한 두 개의 prolene®봉합사를 적절히 당긴 상태에서 매듭지으면 된다(그림 20).

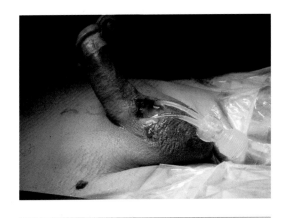

그림 22 백막을 봉합하고 실린더인도용 실을 제거한 후 발기시킨 상태

4) 레찌우스 공간이 확보되지 않는 경우

　골반과 방광사이 또는 방광주위가 박리가 안 되는 경우 하복부에 또 다른 절개를 하고, 끝이 긴 비경을 이용하여 하복부의 transversus abdominis근 내측과 transversalis 근막사이를 확보하여 특수하게 고안된 리저버를 위치시킬 수 있다. 이때 비경의 끝은 동측의 어깨를 향하는 것이 합병증을 줄일 수 있다(그림 21).

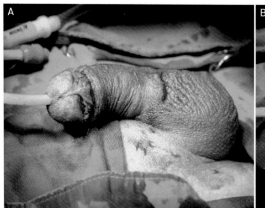
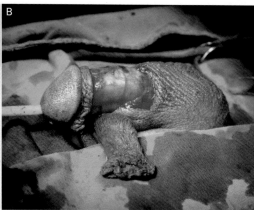

그림 23 A: 귀두부와 음경-음낭연결 직하부 절개. B: 환상절개와 음경-음낭연결 직하부위의 횡절개로 백막이 완전히 노출됨

5) 실린더의 평가

백막을 봉합한 후 60ml(일반적으로 사용하는 Mentor 제품에 해당하나, 실린더의 길이가 길거나, AMS의 제품인 경우는 용량이 다를 수 있음)의 생리식염수가 채워진 플라스틱주사기를 다시 펌프에 연결된 튜브의 끝에 연결한 후 소량을 펌핑하여 음경이 원하는 길이로 되어 있는지, 굽어진 부분은 없는지 또 팽창용액이 새지는 않는지를 살펴본다. 여러 번 반복을 하여 실린더의 길이나 모양, 실린더가 꼬여 펌프가 옆으로 위치하지 않는지, 튜브의 손상은 없는지 평가한다. 백막의 봉합이 끝나면 실린더 인도용 실을 제거하고 또다시 2-3회 실린더를 팽창시켜 성기의 끝과 양측면을 꼼꼼히 촉지하여 실린더의 길이가 부적절하거나, 실린더의 근위부가 반대편으로 가 있는지, 양쪽 끝의 길이가 0.5cm 이상 차이가 나지 않는지를 확인한다(그림 22).

6) 해면체의 섬유화가 있는 발기부전환자 수술

섬유화가 있는 환자에서 음경보형물삽입은 섬유화가 없는 환자에 비해 매우 어렵다. 처음 삽입한 음경보형물이 감염이 되어 1차적으로 제거한 환자에서 재수술을 할 때는 해면체의 전체 공간이 섬유화가 되어 있어 인조조직을 사용하지 않고는 불가능한 경우도 있다. 음경해면체와 음경혈관확장으로 발기를 유도하는 약물을 주사하여 생긴 음경지속발기증 때에는 원위부는 섬유화가 심하나 근위부는 약간의 공간이 있어 섬유화된 해면체 조직을 제거하면 음경보형물

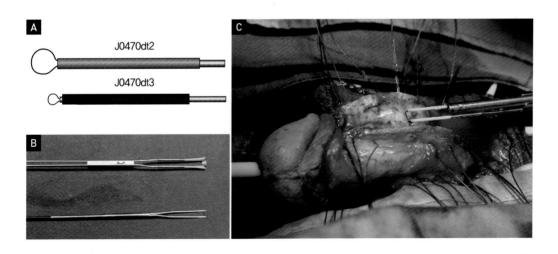

그림 24 해면체섬유화 시 수술기기 및 방법. A: 루프형 전기절개 또는 소작기. B: 전립선절제 수술 시 사용하는 절제루프 (cutting loop). C: 절제루프를 이용한 섬유조직제거술

삽입이 가능한 경우가 종종 있다. 이때는 성기전체의 섬유화된 해면체를 제거해야 하므로 피부 절개는 포경수술을 할 때의 원형절개와 음낭의 횡절개를 같이 하여 해면체의 전체를 노출시켜 야 한다(그림 23).

　음경백막의 절개 후 섬유화된 해면체를 제거하는 과정은 매우 어려우며 Cavernotome, 루프(loop)형 끝을 가진 electric surgical unit, 전립선절제 시 사용하는 working element+cutting loop을 이용하면 도움이 된다(그림 24).

　절개 후 백막을 봉합할 때 공간이 많이 좁지 않으면 백막에 여러 개의 세로의 절개를 하여 실린더를 넣을 공간을 확보할 수도 있으며, 공간이 많이 좁으면 자가조직 (autologous tissue; rectus fascia, fascia lata, dermis, saphenous vein, temporalis fascia), 비자가 조직(non-autologous material; (bovine pericar-

표 6 Salvage 보형물삽입술에 사용하는 Mulcay소독법

The original seven-step approach by Mulcay
Irrigation with kanamycin (80mg/l) and bacitracin (1g/l) in normal saline
Half-strength hydrogen peroxide
Half-strength povidone-iodine
Vancomycin (1g), and gentamicin (80mg) in 5l normal saline
Half-strength povidone-iodine
Half-strength hydrogen peroxide
Finally kanamycin (80mg/l) and bacitracin (1g/l) irrigation
Fluroroquinolone을 4주간 경구투여

dium, human cadaveric fascia, porcine tissue), 합성물질(synthetic material; Gortex patch®, Dacron mesh®, prolene mesh®) 등을 사용할 수 있다.

7) 감염된 보형물을 제거하고 바로 새 보형물을 삽입하는 술기(Salvage technique)

삽입한 보형물이 감염이 생기면 바로 제거를 하고 Mulcay 방법으로 감염부위를 소독한 후 새보형물을 삽입하는 방법(표 6)이 있다. 이 방법은 감염된 보형물을 제거한 후 항생제와 소독제로 강력하게 소독하는 것이 차이가 있다. 이 방법은 전심감염이 있거나(37.5℃ 또는 백혈구 13,000 이상), 심한 당뇨, 요도파열, 조직괴사에서는 사용하지 않는다. 현재까지는 대부분 응급으로 환자가 내원해 적절한 대책을 세울 수 있는 시간적 여유가 없거나, 경험이 많이 없는 비뇨의학과 의사가 시행을 하므로 쉽게 제거하는 방법을 많이 사용했으나 최근 들어 salvage method에 대한 관심이 증가되고 있는 상태이다. 성공률은 약 85%가 된다는 보고가 있다.

참고문헌 ....

- Abdelsayed GA, Levine LA. Ambicor 2-piece inflatable penile prosthesis: Who and how? J Sex Med 2018;15:410-5.

- Alan J. Francosis Eid, MD. Surgery for erectile dysfunction. In: Wein AJ, Kaveoussi LR, Patin AW, Peters CA. Campbell-Walsh Urology. 11th ed. Philadelphia; ELSEVIER; 2012;709-21.

- Al-Enezi A, Al-Khadhari S, Al-Shaliji TF. Three-piece inflatable penile prosthesis; surgical techniques and pitfalls. J Surg Tech Case Rep 2011;3(2):76-83.

- Angermeier KW, Montague DK. Corporal fibrosis. In: Carson II CC. Urologic Prostheses. 1st ed. Totowa, New Jersey; Human Press; 2002;249-61.

- Bogoras NA. Uber die volle palstiche Wiederherstrellung eines zum koitus fahigen penis(Peniplastica totalis). Zentralbl Chir 1936;63:1271-6.

- Brandell RA, Thrasher JB. Semirigid, malleable, and mechanical penile prostheses. In: Carson II CC. Urologic Prostheses. 1st ed. Totowa, New Jersey; Human Press; 2002;171-78.

- Carson III CC. Current status and future of penile prosthesis surgery. In: Carson II CC. Urologic Prostheses. 1st ed. Totowa, New Jersey; Human Press; 2002;133-70.

- Cui WS, Kim SD, Choi KS, Zhao C, Park JK. An unusual success with simultaneous urethral repair and reimplantation of penile prosthesis in a patient with urethral stricture induced by rotated tubing. J Sex Med 2009;6:1783-86.

- Djordjevic ML, Kojovic V. Penile prosthesis implantation and tunica albuginea incision without grafting in the treatment of Peyronie's disease with erectile dysfunction Asian J Androl 2013;6:391-94.

- Egydio PH, Kuehhas FE. Penile lengthening and widening without grafting according to a modified 'sliding' technique. BJU Int 2015;116:965-72.

- Finney RP. Finney flexirod prosthesis. Urology 1984;23:79-82.

- Garber BB. Inatable penile prostheses for the treatment of erectile dysfunction; an update. Expert Rev Med Devices 2008;5(2):133-44.

- Gerstenberg DL, Osborne D, Furlow WL. Inflatable penile prosthesks: Follow-up study of patient-partner satisfaction. Urology 1979;14:583-7.

• Goodwin WE, Scott WW. Phalloplasty. J Urol 1952;68:903-8.

• Hakky T, Lentz A, Sadeghi-Nejad H, et al. The Evolution of the Inflatable Penile Prosthesis Reservoir and Surgical Placement. J Sex Med 2015;12 Suppl 7:464-7.

• Jonas U. Silikon-silber-penis prosthese. Aktuel Urol 1978;9:179.

• Jonas U, Jacobi GH. Silicone-silver penile prosthesis: description. Operative approach and results. J Urol 1980;123:865.

• Jonas U. 5 years' experience with the silicone-silver penile prosthesis: improvements and new developments World J Urol 1983;2:251.

• Jonas U. Alloplastics in the treatment of erectile dysfunction. In: U Jonas, WF Thon, CG Stief. Erectile dysfunction. 1st ed. Berlin Heidelberg; Springer-Verlag; 1991;291-311.

• Kaufman JM, Weldon TE. Cylinder aneurysm of parylene-coated American Medical System (AMS) 700CX penile prosthesis. J Sex Med 2008;5:2713-5.

• Lopes EJ, Kuwano AY, Guimaraes AN, et al. Corporoplasty using bovine pericardium grafts in complex penile prosthesis implantation surgery. Int Braz J Urol 2009;35;49-53.

• Lash H, Zimmerman D, Loeffler R. Silicone implantation: Inlay method. Plastic and reconstructive surgery 1964;34:75-80.

• Lee SW, Park BH, Lim JH, Cui WS, Kim MK, Park JK. Prevention of urethral stricture in insertion of an inflatable penile prosthesis. Int J Urol 2008;15:162-5.

• Levine LA, Becher E, Bella AJ, et al. Perforated acrylic implants in the management of organic impotence. J Urol 1960;84:559-61.

• Levine LA, Becher EF, Bella AJ, et al. Penile prosthesis surgery: Current recommendations from the international consultation on sexual medicine. J Sex Med 2016;13:489-518.

• Madiraju SK, Hakky TS, Perito PE, et al. Placement of inflatable penile implants in patients with prior radical pelvic surgery: A literature review. Sex Med Rev 2019;7:189-97.

• Martinez DR, Terlecki R, Brant WO. The evolution and utility of the small-carrion prosthesis, its impact, and progression to the modern-day malleable penile prosthesis. J Sex Med 2015;12(suppl 7):423-30.

• Merrill DC. Mentor inflatable penile prosthesis: clinical experience in 52 patients. Br J Urol 1984;56:512-5.

• Morales PA, Suarez JB, Delgado J, et al. Penile implant for erectile impotence. J Urol 1973;109:641.

• Montague DK, Angermeier KW. Inflatable penile prostheses. In: Carson II CC. Urologic Prostheses. 1st ed. Totowa, New Jersey; Human Press; 2002;179-90.

• Mulcahy JJ. The development of modern penile implants. Sex Med Rev,2016;4:177-89.

• Mulcahy JJ. Current approach to penile prosthesis infection. In: Carson II CC. Urologic Prostheses. 1st ed. Totowa, New Jersey; Human Press; 2002;219-29.

• Munarriz RM, Goldstein I. Experience with the Mentor a-1. In: Carson II CC. Urologic Prostheses. 1st ed. Totowa, New Jersey; Human Press; 2002;191-99.

• Natali A, Olianas R. Penile implantation in europe: successes and complications with 253 implants in Italy and Germany. J Sex Med 2008;5:1503-12.

• Neuville P, Morel-Journel N, Cabelguenne D, et al. First outcomes of the ZSI 475 FtM, a specific prosthesis designed for phalloplasty. J Sex Med 2019;16:316-22.

• Park JK, Kim HJ, Kang MH, Jeong YB. Implantation of penile prosthesis in a patient with severe corporeal fibrosis Induced by cavernosal injection therapy. Int J Impot Res 2002;14:545-6.

• Pearman RO. Treatment of organic impotence by implantation of a penile prosthesis. J Urol 1967;97:716.

• Sansalone S, Garaffa G, Djinovic R, et al. Simultaneous total corporal reconstruction and implantation of a penile prosthesis in patients with erectile dysfunction and severe fibrosis of the corpora cavernosa. J Sex Med 2012;9:1937-44

• Scott FR, Bradley WE, Timm GW. Management of erectile impotence. Use of Implantable inflatable prosthesis. Urology 1973;2:80-82

• Small MP, Carrion HM. Penile prosthesis: new implant for management of impotence. J Fla Med Assoc 1975;62:21-5.

• Small MP, Carrion H, Gordon JA. Small-Carrion penile prosthesis: new implant for management of impotence. Urology 1975;5:479.

• Small MP, Carrion HM. Penile prosthesis: new implant for management of impotence. Mayo Clin Proc 1976;51:3.

• Small MP. Small-Carrion penile prosthesis: a report on 160 cases and review of the literature. J Urol 1978;119:365.

• Subrini L. Subrini penile implants. Surgical, sexual and psychological results. Eur Urol 1982;222.

• Tran VQ, Lesser TF, Kim DH, et al. Penile corporeal reconstruction during difficult placement of a penile prosthesis. Adv Urol 2008:370947.

• Wang R, Lewis RW. Reoperation for penile prosthesis implantation. In: Carson II CC. Urologic Prostheses. 1st ed. Totowa, New Jersey; Human Press; 2002;231-48.

• Wilson SK, Billips KL. Peyronie's disease and penile implants. In: Carson II CC. Urologic Prostheses. 1st ed. Totowa, New Jersey; Human Press; 2002;201-18.

• Wilson SK, Henry GD, Delk JR Jr, et al. The mentor Alpha 1 penile prosthesis with reservoir lock-out valve: effective prevention of auto-inflation with improved capability for ectopic reservoir placement. J Urol 2002;168:1475-8.

• Yachia D. Inflatable penile prostheses in erectile dysfunction (including penile shaft re-modeling in Peyronie's disease). In: Carson III CC, Kirby RS, Goldstein R, Wyllie MG. TEXTBOOK OF ERECTILE DYSFUNCTION. 2nd ed. New York; Informa Healthcare; 2009;323-37.

• Zhao C, Choi BR, Jeong YB, Park JK. Unusual surgical success with a defective penile prosthesis. Can Urol Assoc J 2011;5:E116-8.

• Ziegelmann MJ, Viers BR, Lomas DJ, et al. Ectopic penile prosthesis reservoir placement: An anatomic cadaver model of the high submuscular technique. J Sex Med 2016;13:1425-31.

PART
04

음경이물제거 및 재건

개요

문기학 · 영남의대

아시아와 동유럽 문화에서 큰 성기는 종종 권력의 상징으로 여겨져 왔으며, 음경 크기의 적정성에 대한 남성들의 인식차이는 성생활과 사회생활을 침해하는 불안의 요소가 되는 것으로 알려졌다. 이로 인해 1900년대 초반부터 이물질 주입을 통한 음경확대술이 종종 시도되어 왔으며 환자 자신 또는 약을 사용하는 훈련을 받지 않은 사람이 음경 피부에 주사하는 경우도 많은 것으로 보고되었다. 외성기 확대술의 첫 번째 사례는 1899년 Gersuny에 의해 수행되었으며, 결핵으로 양측 고환절제술을 받은 소년의 음낭에 파라핀 오일 주사한 결과를 보고하였다.

음경확대술에 주입되는 이물질은 대구어유(cod fish oil), 미네랄오일과 같은 다양한 오일과 파라핀, 바셀린, 액상실리콘 등이 사용되었으며, 최근에는 비교적 부작용이 적은 하이얼유론산 겔(hyaluronic acid gel) 등이 보고되고 있다. 이러한 이물질 주입으로 발생하는 부작용은 다양하게 나타나는데, 광범위한 흉터, 육아종, 농양 형성 및 궤양 또는 괴사와 같은 이물질 반응, 심각한 통증 및 발기부전과 같은 파괴적이고 치명적인 부작용이 나타날 수 있다. 주입 후 부작용이 발생하는 시기는 주입물질과 환자에 따라 다양하게 보고되었는데, 대구어유에 대한 반응은 주사 직후(1-2주)에 발생하는 경향이 있고, 파라핀 또는 미네랄 오일에 대한 반응은 주사 후 1-2년 후에 발생하는 경향이 있지만 10년 이상 지난 후 나타나는 경우도 있다.

근본적인 치료는 이물질 부작용으로 관련된 피부와 피하 조직을 완전히 제거하고 음경샤프트를 재포장하는 수술이 가장 많이 이용되는 방법으로 알려져 있으며 최근에는 음경피부보존방법을 이용한 음경재건술이 보고되었다. 음경피부 결손이 크지 않을 경우에는 이물질 제거 후 간단하게 봉합할 수 있지만, 피부결손이 많은 경우에는 그 정도에 따라 음낭피부판(scrotal flap)을 이용한 재건방법과 타부위 피부판(skin flap)을 이용한 음경재건방법 등이 있다.

참고문헌

• Austoni, E. A new technique for augmentation phalloplasty: Albugineal surgery with bilateral saphenous grafts-three years of experience. European Urology 2002;42:245-253.

• Gersuny, R. Harte und weiche Paraffinprothesen. Zentralblatt Fur Chirurgie, 1903;30:1.

• Al-Ansari AA, Shamsodini A, Talib RA, et al. Subcutaneous cod liver oil injection for penile augmentation: review of literature and report of eight cases. Urology 2010, 75(5):1181-1184.

• Lee T, Choi HR, Lee YT, Lee YH: Paraffinoma of the penis. Yonsei Med J 1994;35:344-348.

• Cohen JL, Keoleian CM, Krull EA: Penile paraffinoma: self−injection with mineral oil. J Am Acad Dermatol 2001;45:S222-S224.

• Prather CL, Jones DH: Liquid injectable silicon for soft tissue augmentation. Dermatol Ther 2006;19:59-68.

• Moon du, G., Kwak, T. I., & Kim, J. J. Glans penis augmentation using hyaluronic acid gel as an injectable filler. World Journal of Men's Health 2015;33(2):50-61.

• Kim JS, Shin YS, Park JK. Penile skin preservation technique for reconstruction surgery of penile paraffinoma. Investig Clin Urol 2019;60(2):133-137.

• Dunev V.R., Kolev N.H. and Genovb P.P. Late results of bilateral scrotal flap. Urol Case Rep. 2019;27: 100920

CHAPTER

01

음경재건
음경이물제거 후 음낭피부판(scortal flap)을 이용

현재석 · 경상의대

파라핀은 불용성, 불활성, 비대사성 물질로써 사용된 역사는 기원전으로 거슬러 올라가며, 주로 바에 불을 밝히는 재료로 일상 생활에 유익하게 이용되었으며 의학적으로도 창상 치료 및 감염의 경감을 위해 사용되었다. 바세린(Vaseline)은 유니레버의 상표명이자, 석유 젤리 브랜드이다. 석유에서 추출한 페트롤리움 젤리를 주성분으로 하여 바디로션, 핸드크림, 입술보호제 등으로 사용되고 있다. 1859년에 미국의 화학자인 로버트 체스브로(Robert A. Chesebrough)가 페트롤리움 젤리를 정제해 상처치료제를 개발했고, 1870년에 '체스브로 매뉴팩처링(Chesebrough Manufacturing Co.)'이라는 회사를 설립해 이 상처치료제를 바세린이라는 이름으로 시장에 출시했다. 1899년에 비엔나의 Robert Gersuny가 처음으로 바셀린이나 미네랄 오일을 음낭에 주사를 시도하였다. 이 당시 주사의 목적은 주로 결핵성 부고환염을 치료하기 위해 시행한 양측성 고환 적출술 후에 고환의 빈자리를 대체할 대용품으로 사용하기 위해서였다. 그는 음낭에 바셀린 주사가 비교적 성공적인 결과를 보인 것으로 판단하여 1906년에는 바셀린을 연조직 결함 및 미용 목적, 특히 얼굴의 주름 제거를 위해 사용하기도 하였다. 그러나 이런 주름제거 등의 미용 치료 결과는 실망스러운 후유증을 보였다. 이러한 미용이나 성형 목적으로 바셀린이나 파라핀을 연조직에 주사하는 것이 여러 가지 후유증을 보이고 있음에도 불구하고 아직까지도 음경의 확대나 성기능 개선 목적으로 음경피하에 파라핀이나 바셀린을 주입하는 환자들이 드물게 있다. 음경 확대를 위해 음경 피하에 바셀린, 파라핀 또는 외인성 오일의 주사는 실온에서는 안정되어 있어 반고체나 고체 상태를 유지하지만, 온도가 올라가면 바셀린이나 파라핀 주사액의 액화되

거나 변형이 일어나서 주사한 부위에서 다른 부위로 녹아 내리면서 처음 의도한 모양에서 변형이 생기고 주위 조직에 염증을 유도하는 등의 의도하지 않은 여러 가지 합병증을 유발한다.

바세린이나 파라핀의 음경피하주사로 생기는 바셀린종이나 파라핀종은 Dartos 근막(Dartos fascia) 부분 또는 전체 층에 걸쳐 발생할 수 있다. 또한 바깥쪽으로 피부에 침투 할 수 있으며 안쪽으로는 Buck 근막(Buck's fascia)까지 깊숙이 침투 할 수 있다. 대부분의 파라핀종은 Buck's fascia상층부에 국한되어 있어 파라핀종을 박리하는 데 큰 어려움은 없으나. Buck's fascia까지 침윤된 경우에는 dorsal neurovascular bundle에 손상을 주지 않도록 조심하여야 하며, 파라핀종이 음경의 배측을 깊게 침윤한 경우에는 박리 시 요도에 손상을 줄 수 있으므로 요도 카테터를 삽입한 뒤에 요도를 확인하며 박리하는 것이 좋다. 또한 치골하부조직이나 음낭내로 침투된 경우에는 정상 피부와 피하조직으로부터 파라핀종을 박리하여 남아 있는 파라핀종이 없도록 완전히 제거해야 한다. 파라핀종을 제거한 후에 결손 피부는 주변의 피부나 음낭 피부를 이용한 음낭피부편으로 결손된 부위를 덮어주는 이식수술을 하게 된다. 피부 이식을 위한 피부편을 만들 때는 예상 넓이보다 넓게 피부 이식편을 만들고, 피부 이식편의 혈관은 손상되지 않게 잘 보존하며, 겸자대신 skin hook나 stay suture를 사용하고, 지혈을 철저히 시행하여야 한다.

파라핀종의 치료는 침윤조직을 완전히 제거하여 재발을 방지하는 것이 가장 중요한데, 음경 파라핀종을 완전히 제거한 후 음경피부의 결손부위가 적은 경우는 일차봉합술만으로도 쉽게 치료할 수 있으므로 조기에 발견하여 수술을 시행하는 것이 가장 좋은 방법이다. 그러나 파라핀 주사 후 기간이 오래 경과하여 파라핀의 침투가 깊고 넓게 진행된 경우에는 파라핀종 제거후 피부결손이 너무 심하여 이를 교정하기가 쉽지 않으며 이에 대한 정립된 치료방법은 아직 없는 실정이며 술자의 경험에따라 여러 가지 수술 방법이 사용되고 있다.

파라핀종 제거 후에 생긴 음경의 피부 결손부위를 덮는 방법으로는 크게 피부이식(skin graft) 방법과 나누어 볼 수 있다. Skin graft 방법은 scrotal skin flap 방법보다 유연성이 좋고 음경 피부와 비교적 비슷한 두께를 보인다. 반면에 scrotal skin flap 방법은 이식 피부의 수축이 덜하고 탄력성이 좋으며 비교적 넓은 결손 부위에도 적당하다.

음경이물제거 후 음낭피부판(scortal flap)을 이용한 음경재건술 방법에는 ① 터널 음낭피판

음경 성형술(Tunneled scrotal flap penoplasty), ② 변형 Cecil's technique, ③ 양측 유경 음낭피판술(Bilateral pedicle scrotal flap method), ④ 단순 음낭피판 성형술(Simple scrotal flap penoplasty), ⑤ Apron 법(Apron method) 등이 있다.

1. 터널 음낭피판 음경 성형술(Tunneled scrotal flap penoplasty)

음경의 피부결손부위가 적지만 남아있는 음경피부로는 피부 결손부위를 덮을 수 없을 때 시행할 수 있으며 음경의 피부 결손 크기만큼 음낭피부편을 만든 후에 근위부 음경피부 밑으로 터널을 만들어 음낭피부편을 터널을 통해 이동시킨 뒤 결손된 음경부을 덮는 방법이다(그림 1).

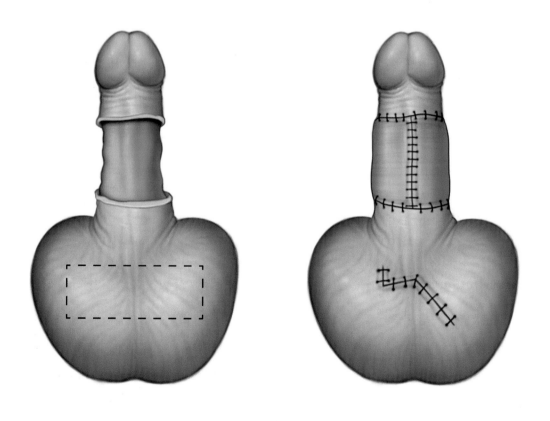

그림 1 터널 음낭피판 음경 성형술(Tunneled scrotal flap penoplasty)

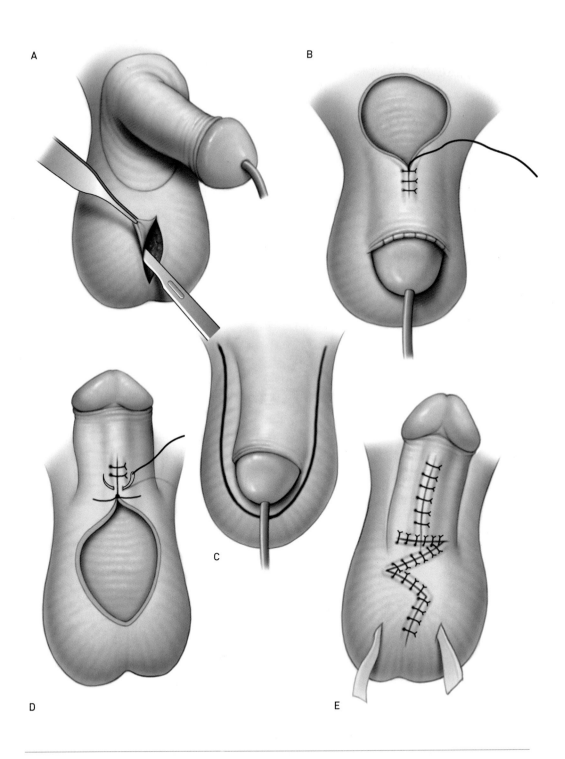

그림 2 변형 Cecil's technique

2. 변형 Cecil's technique

음경파라핀종을 완전히 제거한 후 음경 피부가 없어진 음경 부위를 음낭피부하에 묻어두었다가 2-4개월 후에 다시 음낭피부를 이용해 음경피부 결손부위를 덮어주는 방법(그림 2)으로 유리 이식편(free graft)보다는 이식편의 괴사나 수축의 가능성이 낮다는 장점이 있으나 2차 수술이 필요하고 이로 인한 경제적인 부담과 2차 수술 전까지 배뇨나 성행위에 어려움이 있다. 정상 피부에 음경이 매몰되어 있기 때문에 2차수술을 기다리는 동안 환자는 발기 시마다 상당한 기간동안 통증을 느낄 수 있고, 요도가 음경피부에 묻혀 있는 상태이기 때문에 배뇨 시 많은 불편을 호소하게 된다.

3. 양측 유경 음낭피판술(Bilateral pedicle scrotal flap method)

음경파라핀종을 완전히 제거한 후 음경 피부가 없어진 음경 부위를 음경음낭 경계부(peno-scrotal junction)에서부터 음낭 상부의 피부결손부위의 정중앙 부위에서 수직하방으로 음경의 둘레의 1/2만큼의 길이를 제단하고 그 점에서부터 양측으로 음경 둘레의 1/2만큼의 길이를 유지하면서 음경 길이만큼 좌우의 음경 피부를 절개하여 양측이 대칭되는 똑같은 음낭 피부 이식편을 만든다(그림 3B-1, B-2).

대칭으로 만든 음낭피부 이식편을 음낭 중앙부에서 서혜부쪽으로 음낭 피부를 피하조직과 함께 박리할때에는 피부로 가는 동맥으로 손상을 최소화하면서 절개한다. 그후 만들어진 음낭 피부편을 들어올리고 음경 피부 결손부위를 양측에서 좌우로 반반씩 덮은 후, 4-0 Nylon으로 음경귀두부를 먼저 봉합하고 음경의 배측과 복측에서 음낭피부편을 서로 봉합한다(그림 3).

4. 단순 음낭피판 성형술(Simple scrotal flap penoplasty or Wrapping with pedicled scrotal flap)

음경파라핀종을 완전히 제거한 후 음경 피부가 없어진 음경 부위 전체를 덮을 만한 넓이의 사각형의 음낭피부편을 재단한 후에 피하 조직과 혈관을 보존한채로 박리 절제하여 음낭 이식편을 만들어 음경 피부가 없어진 음경 부위의 복측으로부터 둘러싸 음경의 배측에서 봉합하는 방법으로 봉합선이 주로 음경의 배측에 위치하므로 배뇨 시 환자가 창상을 보게 되고 음낭피부 박리

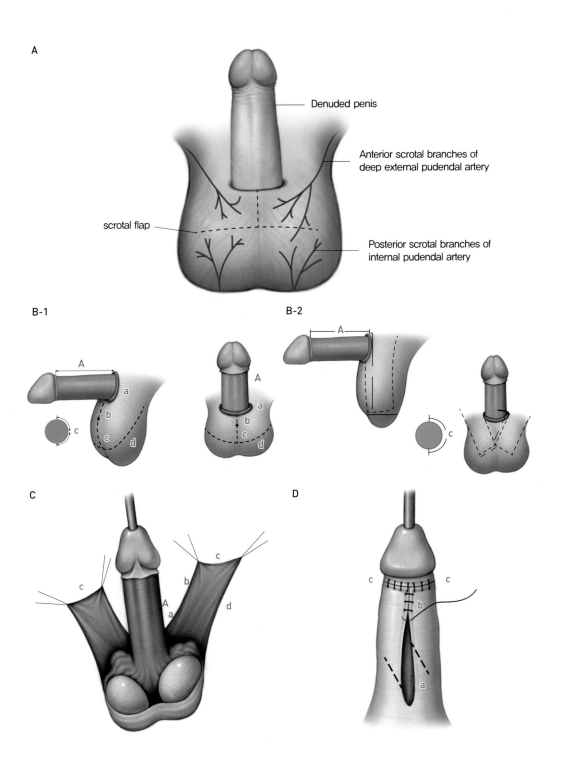

A

Denuded penis

Anterior scrotal branches of
deep external pudendal artery

scrotal flap

Posterior scrotal branches of
internal pudendal artery

B-1

B-2

C

D

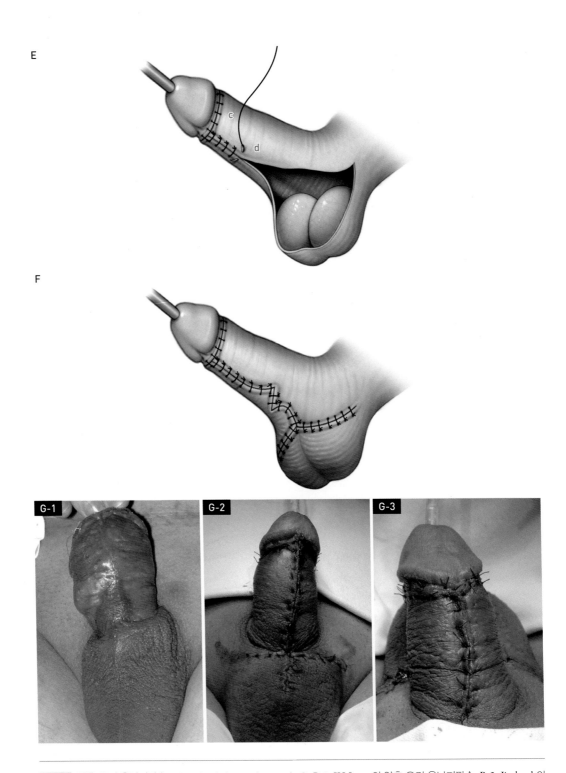

그림 3 양측 유경 음낭피판술(Bilateral pedicle scrotal-ap method). B-1: JH Jeong의 양측 유경 음낭피판술, B-2: Jindarak의 양측 유경 음낭피판술. Length A = a+b , Width c = a = ½ of penile circumference, Inferior side d = (a+b) + more

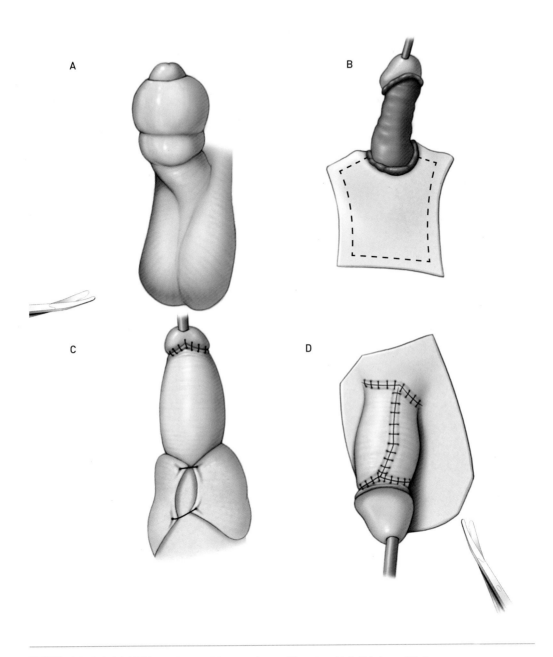

그림 4 단순 음낭피판 성형술(Simple Scrotal flap penoplasty or Wrapping with Pedicled scrotal flap)

시 음낭부의 주된 혈관인 양측 하외측 외음부 동맥(inferior external pudendal a.)의 음낭 가지(scrotal branch)에 혈관주행이 손상되어 이식조직편이 괴사될 우려성도 있다는 단점이 있다(그림 4).

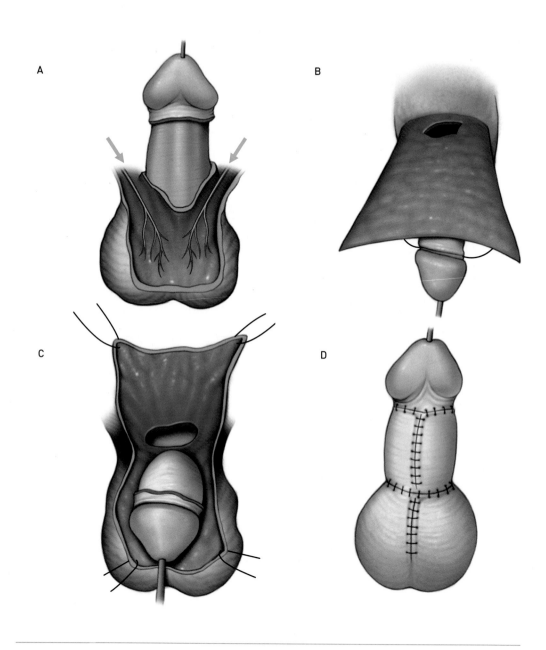

A

B

C

D

그림 5 Apron법

5. Apron법(Apron method)

Simple scrotal skin graft시는 이식편의 줄기(pedicle)가 음경 아래부위 배측에 위치해 양측 하외측 외음부 동맥(inferior external pudendal a.)의 음낭 가지(scrotal branch)의 손상이 빈발할 수 있

기 때문에 이런 문제점을 해결하고 외관상 음경의 수술반흔이 노출되지 않도록 하기 위해 양측 하외측 외음부 동맥(inferior external pudendal a.)의 음낭 가지(scrotal branch)를 보존할 수 있도록 이식편의 줄기(pedicle)를 음낭가지 혈관를 중심으로 하는 방법으로 음낭피부판을 앞치마(apron) 모양으로 유리시켜 음경의 배측으로 이동시켜 음경 배면으로부터 음경을 둘러싸면서 음경의 복측에서 봉합한다(그림 5).

음경파라핀종을 완전히 제거한 후 음경 피부가 없어진 음경 부위에 음낭 피부를 이용한 수술방법은 위에 열거한 것과 같이 다양한 방법이 있으나 어떤 방법이 가장 좋은지에 대해서는 결론을 내릴 수는 없다고 생각된다. 이들 여러 가지 수술 방법 중 환자의 상태나 술자의 경험 등이 수술방법을 결정짓게 하는 가장 중요한 요소가 되리라 생각된다. 이와 같은 수술방법은 비단 음경 파라핀종 수술뿐만 아니라 이와 유사한 음경 피부가 상당히 결손될 수 있는 다른 여러 가지 질환에서도 적용될 수 있다고 생각된다. 이식편의 성공 적인 착상여부는 이식편을 재단할 때 혈관을 얼마나 잘 보존하는가가 중요하며 또한 파라핀종 같은 경우는 가능한 한 이물질의 완벽한 제거가 중요하다. 파라핀종의 경우에 음경귀두부를 침투하였거나 Buck's fascia보다 깊게 침투한 경우에는 이물질의 완벽한 제거가 어렵기 때문에 시술자로서도 상당히 곤란한 상황에 직면하게 된다. 이런 경우에는 너무 무리한 음경귀두부나 음경백막 침범 파라핀종의 제거는 오히려 술 후 음경 발기장애나 귀두부 감각 이상 혹은 귀두부 모양의 변형 등과 같은 성기능 장애를 초래할 수도 있으므로 이런 경우에는 파라핀종의 무리한 제거보다는 보존적인 치료가 나을 수도 있을 것으로 생각된다.

참고문헌

- Svensøy JN, Travers V, Osther PJS. Complications of penile self-injections: investigation of 680 patients with complications following penile self-injections with mineral oil. World J Urol. 2018;36(1):135-143.

- Jeong JH, Shin HJ, Woo SH, Seul JH. A new repair technique for penile paraffinoma: bilateral scrotal flaps. Ann Plast Surg 1996; 37: 386-93.

- 최성. 음경확대성형술: 의학적 적응과 술기. 부산. 부산대병원. 1995; 65-82.

- Jindarak S, Angspatt A, Loyvirat R, Chokrungvaranont P, Siriwan P. Bilateral scrotal flaps: a skin restoration for penile paraffinnoma. J Med Assoc Thai 2005; 88 (Suppl 4): S70-3.

- Kim SW, Yoon BI, Ha US, Kim SW, Cho YH, Sohn DW. Treatment of paraffin-induced lipogranuloma of the penis by bipedicled scrotal flap with Y-V incision. Ann Plast Surg 2014;73: 692-5.

- Lee T, Choi HR, Lee YT, Lee YH. Paraffinoma of the penis. Yonsei Med J 1994;35: 344-8.

- Shin YS, Zhao C, Park JK. New reconstructive surgery for penile paraffinoma to prevent necrosis of ventral penile skin. Urology. 2013;81(2):437-41.

- Kim HT, Moon KH. Long Term Follow-up Result after Penile Paraffinoma Removal: In a view of Surgical outcome & Patients' satisfaction. Korean J Androl. 2008;26(2):80-85.

- Choi CY, Park ES, Tark MS, Lee YM, Kim YB. The Treatment of Penile Paraffinoma Using Various Scrotal Flap. J Korean Soc Plast Reconstr Surg. 2004;31(6):790-794.

- Lee KY, Na YK, Yoon YR. "Apron Method", Scrotal Flap in Totally Denuded Penis due to Paraffinoma. Korean J Urol. 1995;36(4):445-448.

- Kim DS, Choi HY. Penile paraffinoma: 39 cases. Korean J Urol. 1992;33(3):551-556.

CHAPTER
02

음경재건

음경이물제거 후 타부위 피부판(skin flap)을 이용

김태곤 · 영남의대

음경의 이물제거 후에 발생하는 피부 및 연부조직 결손을 재건하는 방법으로는 부분층 피부이식술, 전층 피부이식술, 음낭피부판 재건술, 기타 국소조직을 이용하는 재건술, 유리피판술 등이 있다. 음경의 피부는 매우 신축성이 좋은 특징을 가지고 있으므로 되도록이면 수술 후에도 이러한 조직의 특성을 가질 수 있도록 재건 방법과 공여부를 선택하는 것이 좋다.

1. 피부이식술

피부이식술은 비교적 간단한 방법으로 수술이 가능하고 회복기간도 짧지만 수술 후의 기능적 결과는 만족스럽지 못할 때가 많다. 음경이물을 제거한 이후 남아있는 음경조직은 피부이식을 하기에는 적당하지 않을 때가 많다. 음경의 피부 결손부위에 피부이식을 할 때에는 결손부의 신축성을 고려하여 어느 정도의 피부를 이식할 것인가를 결정하여야 한다. 피부를 너무 여유있게 이식하면 생착이 잘 되지 않을 가능성이 높아지고, 너무 작게 이식을 하면 이식한 피부가 비록 잘 생착된다고 하더라도 상처를 피부로 덮어주는 목적 이외에 음경의 윤곽이나 발기를 위한 양호한 신축성을 기대하기는 어렵다. 보통 Buck's 근막(Buck's fascia)을 남기고 이물을 제거한 후 남아있는 음경 조직을 보아 혈류가 양호하고 연부조직의 부피가 유지된다면 부분층 피부이식을 시행해 볼 수 있다. 피부이식이 생착되기 위해서는 이식부위의 바닥 조직의 혈류가 양호해야 하며, 생착이 일어나는 치유기간 동안 혈종이나 장액종이 고이지 않으면서 잘 고정되어야한다. 이를 위해서 피부이식 후 여러 개의 창(fenestrations)을 내고 상처바닥과 피부를 고정 봉합

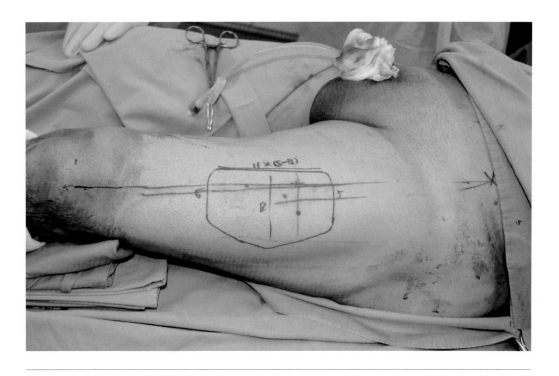

그림 1 전외측 대퇴 천공지피판술의 디자인

(fixation suture)해주며 수술 초기에 발기를 억제하는 약물을 사용하는 것이 필요하다. 만일 피부이식 초기에 발기가 되면 피부이식이 실패할 가능성이 높아진다.

이러한 이유로 음경이물제거 이후에는 피부이식보다는 피부판을 이용하여 결손부위를 재건하여 주는 것이 미용적, 기능적으로 더 양호하다. 특히 음낭의 피부에도 손상이 심한 때에는 더욱 유용하다. 음낭피부판 이외에 사용할 수 있는 방법으로는 전외측 대퇴 천공지 피판술(anterolateral thigh perforator flap)과 요측전완부 유리피판술(radial forearm free flap)이 대표적이다.

2. 전외측 대퇴 천공지피판술

전외측 대퇴 천공지피판술은 심부대퇴동맥(깊은넙다리동맥, profunda femoris artery)에서 분지되는 대퇴회선동맥(넙다리휘돌이동맥, circumflex femoral artery)의 내림가지(descending branch)에서 기시하는 천공지를 이용하는 피판술이다. 대퇴부의 피부와 피하층이 얇은 환자에게 적용하기가 좋다. 대퇴부의 피하층이 두꺼울 때는 조직확장기를 일단 피하층에 이식하여 2달 정도

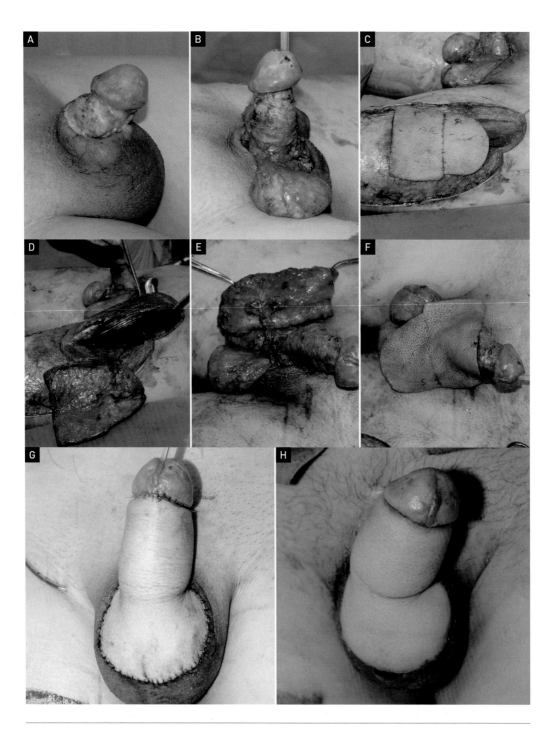

그림 2 유경 전외측 대퇴 천공지피판을 이용한 음경피부의 재건. A: 음경 이물질 육아종 제거 전, B: 음경 이물질 육아종 제거 후, C: 좌측 전외측 대퇴 천공지 피판 거상, D: 대퇴직근 아래로 터널을 만들어 통과, E,F: 이동한 피판 F,H: 수술 직후 및 술 후 2주째

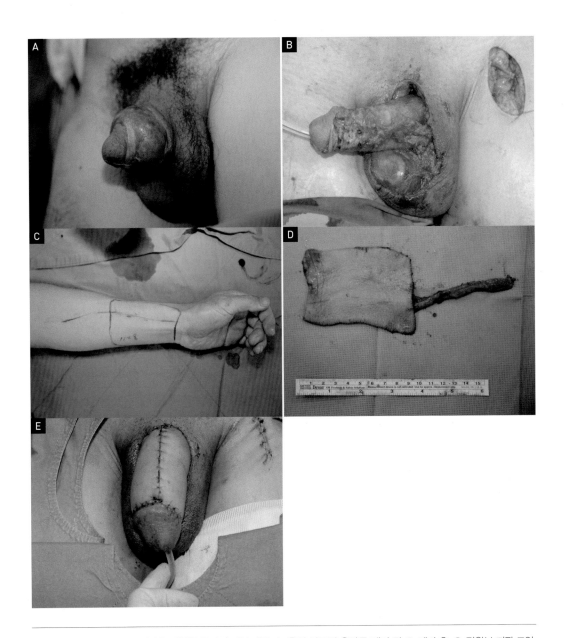

그림 3 요측 전완부 유리피판을 이용한 음경의 피부 재건. A: 음경 이물질 육아종 제거 전, B: 제거 후, C: 전완부 피판 도안, D: 전완부 피판 거상, E: 수술 직후

에 걸쳐 피부를 확장시킨 후에 피판수술을 하면 얇은 두께의 피부판을 얻을 수 있다. 우선 (그림 1)과 같이 전상장골극(ASIS)과 슬개골의 외상방연을 연결하는 선의 중앙부에서 휴대용 도플러를 이용하여 천공지를 찾는다. 표지한 천공지를 중심으로 음경의 피부결손부위의 크기와 모양

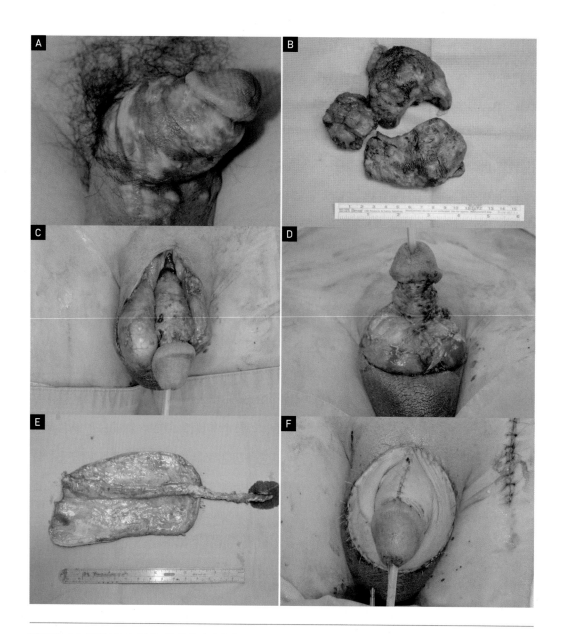

그림 4 요측 전완부 유리피판을 이용한 음경 및 음낭부의 재건(부분적으로 Arch Reconstr Microsurg 2015; 24(1): 16-19.에서 인용함).
A: 음경 이물질 육아종 제거 전, B: 제거한 육아종, C: 이물질 제거 후, D: 이물질 제거 후, E: 피판 거상, F: 수술 직후

에 맞게 피부판을 디자인 한다. 피부판의 내측부터 절개를 하여 근막층까지 도달 후 근막을 외측으로 들어 올리면서 표지한 부위의 천공지를 확인한다. 천공지는 보통 대퇴직근(rectus femoris muscle)과 외측광근(vastus lateralis muscle) 사이에서 찾을 수 있다. 디자인한 피부판을 모두 절개

한 후 천공지와 연결부위를 보존하면서 사방으로 박리한다. Rectus femoris muscle과 vastus lateralis muscle 사이의 근막을 벌려서 circumflex femoral vessel의 descending branch를 찾는다. 천공지가 descending branch로 연결되는 부위까지 천공지가 다치지 않도록 vastus lateralis muscle 내 박리와 근막내 박리를 시행한다. 이후 descending branch의 원위부를 결찰하고, 근위부로 박리하여 음경 결손부까지 피부판이 도달할 수 있는 혈관경의 길이를 확보한다. 혈관경이 연결된 채로 피부판이 음경의 결손부로 이동할 수 있도록 rectus femoris 근육하 터널 및 피하터널을 만든다. 피부판 이동 시에는 혈관경이 조금이라도 당겨지지 않도록 조심하여야 하고, 피하터널의 섬유성 밴드 조직에 혈관경이 눌리지 않도록 터널을 여유있게 만든다. 만일 descending branch의 근위 기시부까지 박리하였는데도 혈관경이 길이가 충분하지 않거나, 혈관의 변이로 인해 충분한 길이의 혈관경을 얻기 어렵다면 유리피판술로 전환하여 수술을 준비한다. 피부판을 이동한 후에는 음경의 결손부위에 봉합한다. 배액을 위해 피부판 아래에 음압배액관(closed suction drain)을 삽입한다. 공여부는 보통 일차봉합을 시행하지만 결손부위가 넓을 때는 일부만 봉합 후 피부이식을 해야 할 수도 있다. 음경부위는 과도하게 압박되지 않도록 주의하고, 고관절을 움직이면 혈관경이 당기거나 눌릴 수 있으므로 침상안정 및 자세 유지가 중요하다(그림 2).

3. 요측전완부 유리피판술

　　전완부는 우리 몸에서 가장 얇은 피판을 얻을 수 있는 부위 중 한곳으로 전완부의 피부는 음경의 재건에 있어 적절한 공여부라고 할 수 있다. 또한 요골동맥을 이용한 유리피판을 일으키면 긴 혈관경을 얻을 수 있어 수혜부 혈관이 멀리 떨어져 있어도 수술이 용이하다. 그러나 전완부의 주요 동맥 중 한 개를 희생하여야 하는 부담과 수술 후 공여부에 남게 되는 피부이식 반흔은 이 피판의 단점이라고 할 수 있다. 그러므로 수술 전에 척골동맥 만으로 손의 혈류가 유지되는 지 확인하는 Allen 검사를 시행하여야 하고, 양팔 중 주로 사용하지 않는 쪽에서 피판을 채취한다. 약 12×8cm 정도의 피판을 얻는다면 음경부와 음낭의 일부까지 동시에 재건이 가능하다. 수혜부 혈관으로는 대퇴동맥에서 기시하는 외음부혈관, 천복벽혈관, 장골회선혈관(external pudendal vessel, superficial epigastric vessel, circumflex iliac vessel) 등을 사용할 수 있다(그림 3, 4).

참고문헌

- Kim TG, Hur SW, Kim YH, Lee JH, Mun KH. Penile Reconstruction after Extensive Excision of Sclerosing Lipogranuloma: How to Make the Shape of Scrotum, Penile Shaft and Suprapubic Region with a Rectangular Radial Forearm Free Flap. Arch Reconstr Microsurg 2015; 24: 16-9.

- Kim JS, Shin YS, Park JK. Penile skin preservation technique for reconstruction surgery of penile paraffinoma. Investig Clin Urol. 2019; 60:133-7.

- Sasidaran R, Zain MA, Basiron NH. Low-grade liquid silicone injections as a penile enhancement procedure: Is bigger better? Urol Ann 2012; 4:181-6.

음경 수술

PART

05

포경수술

개요

개요

박현준 · 부산의대

1. 포경수술(Circumcision)이란?

포경수술은 음경으로부터 포피(foreskin)를 잘라내는 것으로 비뇨의학과에서 시술되는 외래 기반의 수술 중 가장 빈번하게 이루어지는 수술이다. 포경수술은 고대로부터 '할례'라는 종교적 의식의 하나로 시행되기도 한다. 시기적으로는 신생아로부터 성인까지 다양한 연령에서 시행되지만, 대부분이 사춘기 이전에 시행된다. 질병이 없는 음경에서 포경수술의 의학적 필요성에 대해서 일부 논란이 있지만, 여전히 대부분의 한국 남성에서 시술이 되고 있으며, 포경수술이 위생이나 음경암의 예방적 측면에서는 긍정적인 역할을 하는 것으로 알려져 있다.

2. 수술 적응증

포경은 귀두가 포피에 덮여져 노출되지 않은 상태를 말하며, 음경의 선천성 질환 중 가장 빈도가 높다. 유아기에는 생리적 포경 상태에 있지만 성장과 함께 포피가 뒤로 반전되어 2차 성징이 발현되면 되면 귀두가 노출된다. 그러나 포경인 경우에는 2차 성징 이후에도 귀두가 포피에 싸여 있는데, 경우에 따라 포피구가 귀두보다 적어 포피가 뒤로 반전되지 않거나, 포피구가 귀두보다 크더라도 포피가 귀두 전체를 길게 덮고 있을 수 있는데, 전자를 포경(phimosis), 후자를 과장포피(redundant prepuce)라고 한다. 포경 중에서도 귀두부뿐만 아니라 요도구도 잘 보이지 않을 정도로 포피구가 심하게 좁아진 경우를 포피륜 협착(preputial ring stenosis)이라고 한다. 포경 환자에서 무리하게 포피를 반전시키거나 과장 포피가 음경기저부쪽으로 반전된 상태에서 생긴 좁은 포피륜(constriction)이나 링 같은 이물질에 의해 음경 귀두부가 장기간 조이는 경우 부종과 동통이 생기고 심한 경우 귀두부 괴사까지 동반되는데 이 상태를 감돈 포경(paraphimo-sis)이라고 한다. 포경수술의 적응은 포경으로부터 과장포피까지 다양하지만 외요도구의 노출 유무, 포피의 반전 가능성 및 반전 후 포피륜 유무에 따라 판단된다. 그 외에도 포피낭 내 요정체, 포피 유착, 포피 내 치후(smegma)나 결석, 반복되는 귀두 포피염, 배뇨장애 및 첨규 콘딜롬이 동반된 경우 포경수술의 절대적 적응이 된다.

3. 수술 및 경과 관찰

혈액 응고 장애, 알레르기 및 대사질환 유무에 대한 병력이 조사되어야 한다. 귀두포피염이나 요도염이 동반된 경우에는 이에 대한 치료가 먼저 완결된 후에 시술해야 한다. 감돈 포경인 경우 에는 수지 정복(manual reduction)으로 부종이 소실된 뒤 시술하는 쪽이 좋다. 마취는 소아를 제외하고는 대부분의 경우 음경 근부나 포피의 광범위한 국소마취로 충분하다. 수술에 앞서 음경과 주위를 충분히 소독한 뒤 포피 반전이 가능한지를 확인한다. 반전이 가능하면 귀두와 포피 내벽을 다시 한번 충분히 소독한다. 반전이 불가능하면 12시 방향 배면 중앙에 1.0-1.5cm의 종절개를 가하여 포피 반전을 다시 시도한다. 귀두부가 충분히 노출되면 귀두 끝을 잡아당겨 포피륜이 소실되는지를 확인하고 횡으로 봉합한다. 소아에서는 포피의 반전이 가능하게 되는 배면절개가 포경수술법으로 선택되는 경우가 많다. 감돈 포경인 경우에도 수지 정복이 되지 않으면 배면절개로써 귀두 쪽으로 반전을 시도할 수 있다. 포피륜이 소실되지 않으면 배측과 복측의 포피에 적절한 넓이의 환상절개를 가한다. 술 후 부종을 최소화하기 위해 절개 부위의 피하에 생리식염수나 국소마취제를 주사하여 피하조직을 최대한 많이 남겨두는 것이 좋다. 또한 피하조직이나 피부 변연부의 출혈을 철저히 지혈하여 혈종의 발생을 예방하는 것이 좋다. 이때 소혈관의 지혈을 위해 전기소작기를 사용하는 것이 편리하다. 수술창에 결절이나 이물이 남지 않도록 하기 위해 흡수사를 사용하는 것이 좋다. 창상 봉합 후 포피륜의 소실을 확인한 다음 거즈로써 압박 드레싱을 한다.

수술 후 3-4일간 창상 감염 방지를 위한 항생제 투여가 필요하다. 수술 다음날 압박된 거즈를 제거하고 출혈 유무를 관찰한다. 혈종이 크면 혈종 제거와 출혈 부위를 결찰한 후 새로운 봉합이 필요하다. 청년기에는 음경 발기로 인해 출혈이나 창상 파열이 생길 수 있으므로 주의하여야 한다.

CHAPTER

01

소아의 포경

우승효 · 을지의대

포경은 선천성 음경기형이나 질환에 해당하지 않는 정상적 음경발달의 형태이다. 포경수술은 종교나 문화, 질환예방, 이차적 질환발생 등의 이유로 귀두를 덮고 있는 포피의 일부 또는 전체를 절제하는 것으로 다양한 술기가 이용되고 있다.

소아에서는 포경수술에 대한 논란은 여전히 높다. 소아는 성인과 달리 대부분 포피가 뒤로 젖혀지지 않는데, 이는 귀두와 특히 요도를 보호하는 생리적 포경환과 귀두와 내측 포피(inner prepuce)의 생리적유착의 해부학적 구조에 기인한다. 신생아 및 영유아에서의 포경수술은 연령과 해부학적 특이성과 수술 및 마취에 따른 위험도와 합병증이 상대적으로 높다. 1989년과 1999년, American Academy of Pediatrics (AAP)에서는 소아, 특히 신생아에서의 관례적 포경수술은 지지하지 않으며 적응증에 근거하여 충분히 사전 설명과 동의가 이루어진 후 수술이 시행되어야 한다고 권고하였다.

표 1 소아 포경 수술의 적응증과 금기증

Indications	Contraindications
Paraphimosis	Hypospadias/epispadias
Recurrent balanitis/posthitis	Webbed penis
Recurrent urinary tract infection	Chordee without hypospadias
BXO (balanitis xerotica obliterans)	Prematurity
Complicated ballooning void	Concealed penis
	Other congenital anomalies of penis

생리적 포경환에 의해 발생되는 이차적 질환은 일차적으로 스테로이드 도포요법(1-3회/일, 3-4주간)이 시행되는데 80% 이상에서 효과적인 반응을 보인다. 약물요법에 반응하지 않거나 관련된 질환의 잦은 재발은 궁극적으로 포경수술이 필요하다.

　　포경수술은 1) 포피배부절개 및 포피성형술(dorsal slit & preputioplasty), 2) 기구를 이용한 수술법(Plastibell, Morgan, Gomco clamp), 3) 이중환상절개법(Sleeve technique or double-incision technique)이 있다.

1. 수술 전 준비

치골 상부 복부에서 허벅지까지 음경과 음낭을 포함하여 베타딘으로 소독한 후, 음경과 음낭이 노출되도록 중포와 소공을 덮는다. 포피 내측의 소독은 환아의 통증예방을 위해 마취가 이루어진 후 시행한다.

2. 마취

국소마취는 신생아와 사춘기 전후 소아청소년에 선택적으로 시행하며, 영유아와 초기 학령기 소아에서는 수술과 부모와의 분리에 따른 공포로 전신마취가 적절하다. 이 장에서는 Anette Jacobsen이 Hinmann' Atals에서 소개한 4단계 국소마취 방법을 소개한다.

- 1단계(Basal block): 근위부 음경의 배부에 에피네프린을 섞지 않은 1-2% 리도카인 또는 자일로카인 1mL를 주사한다.
- 2단계(Crural block): 치골결합부위와 음경근위부 사이, 즉 현수인대(fundiform & suspensory ligaments)의 2시와 10시 방향에 1-2%의 리도카인이나 자일로카인을 각각 1mL 주입하고, 음경 근위부에 환상으로 음경의 복부까지 연속 주입한다.
- 3단계(Dorsal penile nerve block): 제거할 포피부위의 배부신경에 소량의 Bupivacaine을 주입한다.
- 4단계(Surface anesthesia): 수술 1시간 전, 피부마취용 리도카인겔이나 EMLA를 도포한다.

　　저자는 수술시간 단축과 수술 후 환자의 통증조절을 목적으로, 위 4단계 방법을 근간으로 하여 1:100,000 에피네프린을 섞은 1% 리도카인으로 치골결합부위에 2시와 10시 방향에 각

1mL 주입한 후 연속으로 음경근위부와 coronal sulcus 근처의 원위부에 환상으로 각각 2-5mL 씩 추가 주입한다. 마취는 2-4시간 지속한다.

마취약제 주입 전 반드시 역으로 흡입하여 주사바늘이 혈관에 위치해 있는지 확인하는 것이 필요하다. 혈관내로 주입되면 저혈압이나 서맥으로 실신할 수 있어 주의를 요한다. 또한, 에피네프린을 섞어 사용할 경우 동맥의 장시간의 과도한 수축으로 음경피부나 귀두에 허혈성 괴사가 발생할 수 있어 반드시 피부표층에 주입하는 것과 혈관 내로 주입되지 않게 주입 전 흡입하는 과정이 반드시 필요하다.

3. 수술

포경수술의 기본은 음경이 발기되었을 때 피부가 부족하거나 평상시에 피부가 귀두를 덮지 않는 것이다. 또한, 포경 상태에서 간과될 수 있는 귀두와 포피의 유착에 의한 수술 후 합병증의 예방과 동반된 음경 기형의 교정도 고려해야 한다. 소아에서는 음경을 당긴 상태에서 포피의 절제 범위를 결정하는 것이 필요하다.

1) 이중환상절개법(Sleeve technique)

이중환상절개법은 절제할 포피의 근위부와 원위부에 각각 환상으로 절개하고, 포피를 표층에서 박피한 후 피부를 봉합하는 수술기법이다(그림 1). 소아에서는 치골결합부위나 음낭의 지방층이 두터워 음경의 가성 함몰이나 음경음낭경계부가 음경 쪽으로 치우친 갈퀴음경의 형태가 흔하므로 음경과 복부/음낭 경계부위를 누른 후 절개할 부위를 표시하는 것이 적절하다(그림 1A).

근위부 환상절개부위는 포피가 귀두를 덮고 있는 상태에서 coronal sulcus를 따라 표시하며, 원위부 환상절개부위는 귀두와 포피 내측의 생리적 유착을 떼고 구지를 제거한 후 음경을 당긴 상태에서 피부의 당김이 없는 수준으로 표시하며, 이때 prenulum의 온전한 보존이 필요하다. 포피를 자연상태에서 보이는 모습에 따라 절개하여 과도하게 절제될 경우, 복부에서는 발기 시 concord deformity나 배부에서는 함몰음경를 유발하게 된다. 이를 예방하기 위해 환상절개 전 음경을 당긴 후 피부절제범위가 적당한지 한번 더 확인하는 것을 추천한다(그림 1B). 또한, 유

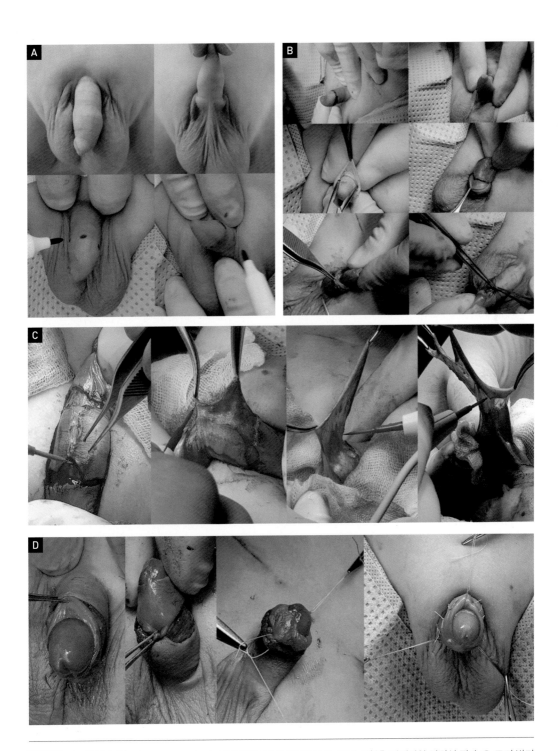

그림 1 이중환상절제술(Sleeve technique). A: 포피 외측 절제부위 표시, B: 포피 내외측 절제범위 적정성 평가, C: 포피 박피
과정, D: 포피절제범위 적정성 재평가 및 봉합(12, 4, 8시 방향의 거즈를 고정하기 위한 길게 남긴 봉합사)

착된 내측 포피와 귀두를 박리하는 과정에서 귀두의 상피층이 탈락되어 진피가 노출되므로 수술 후 진물과 딱지가 흔히 발생한다. 상피가 재생될 때까지 이차적 감염과 음경피부와 귀두가 달라붙는 skin bridge를 예방하기 위해 매일 소독과 관리가 필요하다.

근위부와 원위부를 환상절개한 후, 저자는 음경복부의 환상절개 사이를 절개하고 진피와 다토스근막 사이로 박피를 시작하여 360도 회전하는 방식으로 포피를 절제한다(그림 1C). 마지막으로 절제된 길이가 적절한지 다시 확인한 후 봉합하는 것을 추천하며, 봉합사는 영유아기와 저학년 학령기(통상 10세 이하)에서는 Vicryl 5-0 또는 4-0와 같은 흡수봉합사가 적당하며, 그 이상의 나이에서는 Nylon 4-0을 이용하여 단속봉합(interrupted suture)한다. 수술 후 거즈 드레싱을 위해 12시, 4시 8시 방향의 봉합사를 거즈를 묶을 수 있게 길게 남긴다(그림 1D). 이는 음경의 수축이나 발기로 인해 소독거즈의 이탈을 막을 수 있는 장점이 있다. 수술 부위의 염증을 줄이고 수술부위의 이상소견을 쉽게 확인하기 위해 거즈는 수술 후 1일에 제거한다(dry-dressing). 이후 7-10일 후 봉합사를 제거할 때까지 베타딘 소독과 건조된 상태로 상처를 유지한다. 영유아는 통증과 두려움으로 봉합사 제거시 협조가 안되는 경우가 있어 저자는 흡수 봉합사를 매듭에서 1-2mm 거리를 두고 짧게 자르는데, 수술 후 1개월 내에 매듭이 자연히 풀리면서 제거가 쉽다.

이 수술기법의 장점은 음경이 발기되었을 때를 기준으로 포피가 절제되어 음경피부가 남거나 부족해지는 문제가 매우 적고, 동반된 갈퀴음경증(그림 2) 및 음경회전이상이나 만곡의 교정이 가능하다. 또한 박피를 함으로써 심층의 혈관, 신경 및 백막의 손상을 예방하며, 타 수술기법에서 발생하는 귀두 및 요도의 손상 가능성이 없다는 것이다.

2) 포피배부절개 및 포피성형술(Dorsal slit & preputioplasty)

포피배부절개 및 포피성형술은 낮은 수술 난이도와 소요시간으로 국내에서 학령기 소아청소년에 적용하는 가장 흔한 방법으로 알려져 있다. 수술은 다음과 같이 진행한다(그림 2).

음경피부를 coronal sulcus를 따라 펜으로 표시하고 12시 방향에 배부절개할 부위를 환상절개표시의 수직으로 표시한다. 포경환의 12시 방향에 두개의 모스키토로 고정하고 포피를 당겨서 귀두를 보호한 상태에서 Metzembaum으로 12시 방향의 표시부위를 절개한다. 포피는 계속

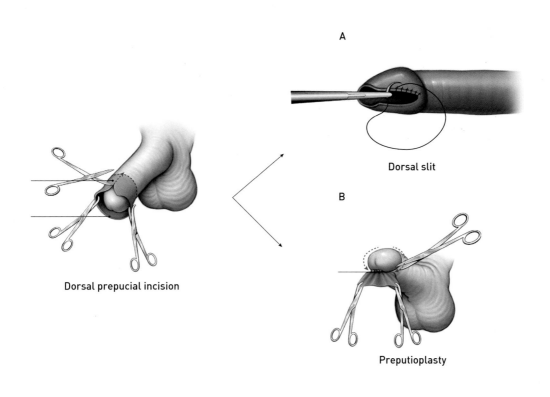

A

Dorsal slit

B

Dorsal prepucial incision

Preputioplasty

그림 2 포피 배부절개 후, 단순 봉합(A)과 포피성형술(B)

당긴 상태로 유지하며, coronal sulcus를 따라 표시된 부위를 환상으로 절제하고, 지혈을 한 후 음경피부를 단속 봉합한다.

이 수술기법은 빠르고 비교적 쉽지만, 포피의 부적절한 절제로 포피가 적게 절제되어 재포경 수술이 필요하거나 과도한 절제로 음경의 만곡을 유발하는 피부삭대(skin chordee), 그리고 비대 칭의 봉합선으로 미용상 문제를 초래할 수 있다.

3) 기구를 이용한 수술법(Device circumcision)

종교적 또는 문화적으로 신생아 및 영유에서 포경수술이 일반화된 미국이나 서남아시아에 서 포경수술의 편리성과 전신마취의 부담을 줄이기 위해 기구를 이용한 수술 기법이다. 대표적 인 기구로는 Plastibell 기구, 겸자 형태의 Gomco clamp와 Morgan clamp이다.

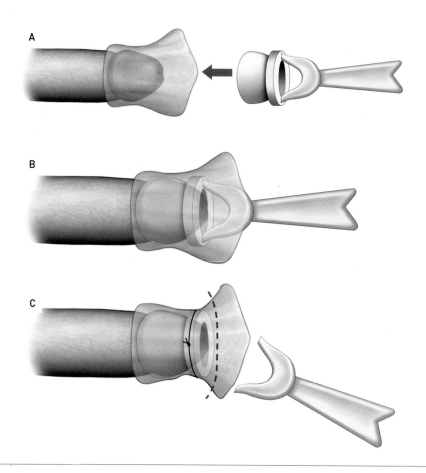

그림 3 Plastibell의 구조와 수술 과정. A: Plastibell이 들어갈 수 있도록 포경환 배부의 일부를 절개, B: 포피를 당긴 상태에서 rim의 기저부를 corona sulcus에 밀착, C: groove에 실크 등의 봉합사로 포피를 묶은 후 원위부 포피를 점선과 같이 절제하고 기구의 handle을 분리한다.

(1) Plastibell device circumcision(그림 3)

Plastibell은 귀두를 덮는 종(Rim)과 포피를 결찰하기 위한 원형의 고랑(groove)이 있는 머리부분, 수술 후 머리부분과 분리되는 손잡이(handle)로 구성되며, 6단계 사이즈의 1회용 플라스틱 재질이 이용되고 있다. 수술 과정은 1) 음경과 귀두의 크기에 맞는 사이를 선택하여야 하는데, 작은 사이즈를 사용하면 포피가 남거나 큰 사이즈를 선택하여 과도한 절제가 발생하기도 한다. 2) 종(Rim)의 바닥 가장자리를 coronal sulcus에 위치하여 귀두를 완전히 감싸게 한 후 포경환(phimotic ring)을 당긴 채, 실크 등의 봉합사로 원형의 고랑을 따라 포피의 외측을 단단히 묶는

(2) Gomco clamp, Morgan clamp(그림 4)

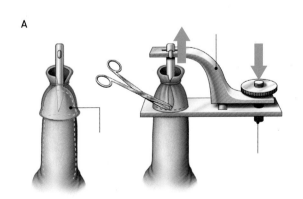
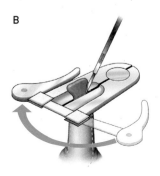

그림 4 Gomco clamp (A)와 Morgan clamp (B)

다. 3) 원형고랑의 원위부를 따라 포피를 절제하고 기구에서 손잡이를 분리한다. 4) 수술 후 2-4
일에 종과 원형고랑이 남아있는 기구를 제거한다. 대체로 지혈은 필요치 않다.

Plastibell은 겸자형태의 기구에서 보고되는 귀두 또는 요도구가 절제되는 중한 합병은 사전
예방되는 구조를 갖는다.

4. 수술 후 합병증

수술 후 합병증의 빈도는 0.2-5%로 낮다. 가장 흔한 합병증은 출혈과 혈종으로 나이가 많을
수록 빈도는 0.1%로 낮아진다. 신생아 및 영아에서는 함몰음경, 감염, 부종, 출혈 및 혈종의 순
으로 발생하고, 유아 및 학령기 소아에서는 부종, 포피의 과도한 외피 절제에 따른 봉합선이 음
경 근위에 위치하는 문제, 감염과 상처 벌어짐, 출혈과 혈종, 함몰음경 순의 빈도로 보고되고
있다.

소아는 음경이 성장하지 않은 상태로 대부분에서 귀두와 내측 포피의 유착으로 성인과 달
리 교정이 필요한 중한 합병증이 발생한다. 수술 후 교정이 필요한 문제는, 1) 포피의 부적절한
절제로 인한 포경의 재발이나 비대칭 절제에 따른 미용상의 문제, 그리고 과도한 절제에 의한
함몰음경과 발기 시 복부나 음낭피부가 딸려 올라가는 현상, 2) 음경부위의 피부와 귀두의 유

착이나 skin bridge, 3) 신생아 및 영아기의 포경수술 후 요도구 협착, 4) 귀두 또는 요도구 절단과 음경 괴사는 육안적으로 내측 포피와 귀두가 확인되지 않는 상태로 시행되는 겸자기법이나 이집트 포경수술의 벽화에서와 같이 포피를 당긴 상태에서 절제하는 원시적 기법에서 주로 발생하며, 현미경하 접합 수술을 8시간 이내에 시행하면 결과는 매우 좋은 것으로 보고되었다. 4) 음경피부와 귀두의 경화성태선(Lichen sclerosis)과 귀두와 요도구의 BXO는 주로 5세 이하의 소아에서 주로 발생하며, 스테로이드 도포요법은 치료의 한계가 있어 수술적 치료가 대부분 필요하다.

어린 소아는 합병증이 있더라도 표현하지 못하므로, 수술 후 초기에는 정기적 관찰이 필요하고, 장기적으로 보호자에게 발생 가능한 합병증의 설명과 주의를 당부하여야 한다.

참고문헌 ··

• Palmer and Palmer. The efficacy of topical betamethasone for treating phimosis: a comparison of two treatment regimens. Urology. 2008:72:68-71

• Prabhakaran S, Ljuhar D, Coleman R, Nataraja RM. Circumcision in the paediatric patient: A review of indications, technique and complications. J Paediatr Child Health. 2018;54:1299-307

• Christopher SL. Dorsal Slit-Sleeve Technique for Male Circumcision. J Surg Tech Case Rep. 2012;4:94-7

• Abdullahi Abdulwahab-Ahmed and Ismaila AM. Techniques of Male Circumcision. J Surg Tech Case Rep. 2013;5:1-7

• Weiss HA, Larke N, Halperin D, Schenker I. Complications of circumcision in male neonates, infants and children: a systematic review. BMC Urol. 2010;16:10.

• Hung YC, Chang DC, Westfal ML, Marks IH, Masiakos PT, Kelleher CM. A Longitudinal Population Analysis of Cumulative Risks of Circumcision. J Surg Res. 2019;233:111-7

CHAPTER

02

성인 및 노인 포경

윤동희 · 타워비뇨의학과

성인포경수술은 신생아포경이나 소아포경과는 달리 자신의 결정권을 가진 성인이 본인의 의사에 따라 하거나, 비뇨의학과전문의의 의학적 판단에 따른 필요성에 의해 시행하게 된다.

2차성징 발현 후의 청소년과 성인(노인 포함) 포경수술은 기본적으로 동일하므로 이 장에서는 청소년과 성인포경수술을 함께 다루는 것으로 생각해도 좋다.

포경수술의 전반적인 적응증은 포경수술개요편에 소개되어 있으며 추가적으로 포경수술은 이성 간의 성관계 시 여성으로부터 남성으로의 HIV 감염 가능성을 60% 정도 줄여주는 것으로 되어 있다. 특히 실리콘링, 필러주입, 대체진피삽입술 등 모든 종류의 음경확대수술 시(포피가 매우 짧은 경우를 제외하고) 포경수술은 기본 전제조건이며 이중 실리콘링 삽입, 대체진피삽입은 포경수술과 동시에 시행할 수 있다.

포경수술에 있어서 환자의 요구사항은 예전에 비해 매우 까다로우며 주효한 점들이 있다.

환자들은 마는 포경, 수술 중/후 통증, 실밥자국이 남는지, 포경수술 후 성감의 변화가 있는지 등의 사항을 물어보는 경우가 많다.

포경수술 시 수술동의서를 작성하지 않는 경우가 많으나 중요한 수술이므로 동의서의 작성을 권한다.

포경수술을 시행함에 있어서 중요한 포인트들을 순서대로 생각해보면, ① 수술 중, 수술 후 통증조절, ② 디자인, ③ 수술 후 관리이다.

1. 수술 전 준비

- 수술 당일 아침 환자의 음경을 물과 비누로 잘 씻고 오도록 안내한다. 가능하면 포피를 젖히고 안쪽까지 씻도록 한다. 음모가 매우 길 경우 짧게 자르고 올 수 있으나 면도를 하는 것은 피부감염 위험을 높일 수 있어 권하지 않는다.
- 수술 동의서 작성 시 수술을 원하는 이유 또는 수술의 필요성 및 포경수술 후 기대할 수 있는 점, 가능한 부작용에 대해 잘 설명하고 환자가 이해했는지 확인한다. 수술 후 재방문 스케쥴, 드레싱에 대해서도 정해진 프로토콜을 가지고 있는 것이 좋다.
- 수술실에 들어오기 전에 소변을 보고 오게 한다. 환자가 수술침대에 누운 후 베타딘(povidone-iodine)을 이용한 수술부위 소독을 한다. 이때 포피가 잘 젖혀질 경우 포피내측과 귀두까지 소독을 시행하고 진성포경, 심한 유착 등으로 잘 젖혀지지 않을 경우 마취가 끝난 후 포피를 젖히고 유착부위를 적절히 박리 후 포피내부를 소독한다. 포경수술 시 drape은 넓은 소공(O-drape)만으로 충분하다.

2. 마취

　　마취는 국소마취로 시행하며, 환자의 요구에 따라 수면마취 등을 함께 시행할 수 있다. 마취의 목표는 무통수술이며, 이는 정확한 프로토콜에 의해 시행 시 달성 가능하다.

　　적절한 마취를 통한 무통수술의 실현은 매우 중요한 기본이며 쾌적한 수술 및 이를 통한 의사 본인의 쾌적한 수술진행, 환자 만족도 상승을 이룰 수 있다. 국소마취제는 1-2% 리도카인(lidocaine)을 사용한다. 수술 시간이 30분이 넘거나 수술이 끝나기 전 통증이 발생하는 경우 리도카인과 부피바카인(bupivacaine)을 1:1 또는 2:1로 혼합하여 해결할 수 있다.

　　성인포경수술에서 효과적인 국소마취방법은 음경근위부 링차단방법(ring block technique), 배부신경차단방법(dorsal nerve block)이다. 10ml 주사기에 2% 리도카인 10ml 또는 2% 리도카인 5ml와 0.5% 부피바카인 5ml 혼합(총 10ml) 마취제를 준비하고 주사바늘 삽입 시 통증 감소를 위해 가능하면 26G 긴 주사바늘로 교체하여 준비한다(10ml 주사기의 기본바늘은 23G이다).

- 링차단방법: 음경 기저부 12시 방향에 0.1ml 정도의 마취제를 피하주입한 후(그림 1A) 바늘을 피부하층(subdermal space)으로 진입시켜 3ml의 마취제를 주입하여 배부신경을 마취

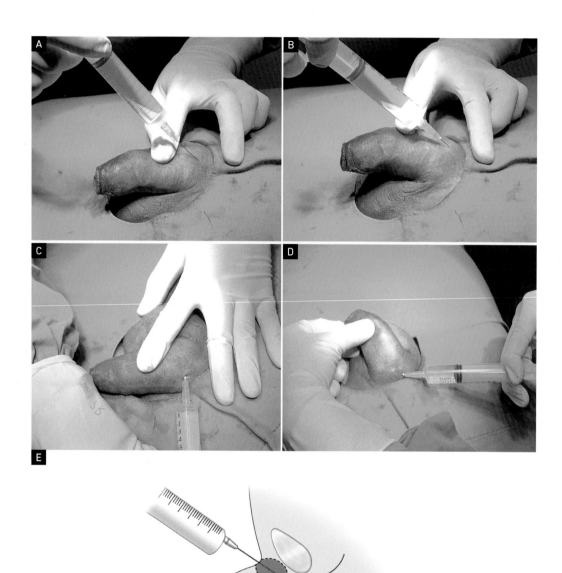

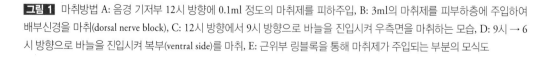 마취방법 A: 음경 기저부 12시 방향에 0.1ml 정도의 마취제를 피하주입, B: 3ml의 마취제를 피부하층에 주입하여 배부신경을 마취(dorsal nerve block), C: 12시 방향에서 9시 방향으로 바늘을 진입시켜 우측면을 마취하는 모습, D: 9시 → 6시 방향으로 바늘을 진입시켜 복부(ventral side)를 마취, E: 근위부 링블록을 통해 마취제가 주입되는 부분의 모식도

(dorsal nerve block)한 후(그림 1B) 그대로 3시 방향까지 진입하여 2ml 정도의 마취제를 주입하고 바늘을 완전히 빼지 않고 반대측 9시 방향으로 돌려 마취제를 주입한다(그림 1C). 배부(Ventral side) 마취를 위해 3시, 9시 방향 피하에 바늘을 진입하여 6시 방향을 향해 요도손상이 되지 않은 것을 확인하며 각각 1ml 정도의 마취제를 주입한다(피부하층에 위치한 바늘은 자유롭게 움직이는 느낌이 들어야 한다. 바늘을 옮길 때마다 흡인하여 마취제가 혈관으로 들어가지 않았는지 확인 후 마취제를 주입하도록 한다)(그림 1D). 이 방법은 3군데의 주사바늘 삽입만으로 배부신경차단 및 음경기저부를 환상으로 마취하여 통증 없는 수술을 이끌 수 있다.

• 마취제가 효과를 발휘하기 위해 마취 후 절개에 들어가기까지 3-5분 정도 기다린다. 기다리는 시간을 이용하여 마킹펜이나 젠티안바이올렛(Gentian violet)으로 절개부위를 표시한다. 그리고 마취가 잘 되었는지 forcep으로 피부를 집어 확인 후 수술에 들어간다. 수술부위 통증을 느끼는 경우 먼저 마취 후 5분 이상의 충분한 시간이 경과했는지 확인하고 추가마취를 시행할 수 있다. 2% 리도카인과 0.5% 부피바카인을 사용한 경우 마취제의 총량은 10ml를 넘기지 않아야 한다.

3. 수술

1) 디자인(마킹)

포경수술의 시작은 디자인이다. 포경수술은 수술 후 평생 사용할 음경피부를 재단하는 수술임에도 많은 비뇨의학과의사들이 눈대중으로 수술을 시행하고 있는 것이 현실이다. 그 결과가 전혀 문제가 없다면 괜찮지만, 현실을 보면 비뇨의학과 전문의의 손길로 포경수술을 받은 환자 중 적지 않은 경우에서 음경피부가 너무 짧은 상태(too much excised)를 경험하게 된다.

일반적으로 링마취를 시행한 후 마취제가 효과를 발휘하기까지 기다리는 시간을 이용하여 마킹펜이나 젠티안바이올렛(gentian violet)으로 디자인하는 것을 권한다. 근위부(외측포피) 절개선은 자연스럽게 포피가 귀두를 덮은 상태에서 왼손가락으로(오른손잡이 기준) 음경과 복부/음낭 경계부위를 누르고 귀두의 corona 부위에 맞추어 절개부위를 표시한다(그림 2A). 주지하듯이 근위부 절개선의 복부(ventral side)는 V shape으로 디자인하여야 한다(그림 2B). 보통 median raphe가 6시 방향의 V의 꼭지점이 되지만 median raphe가 심하게 deviation 된 경우 raphe가 아

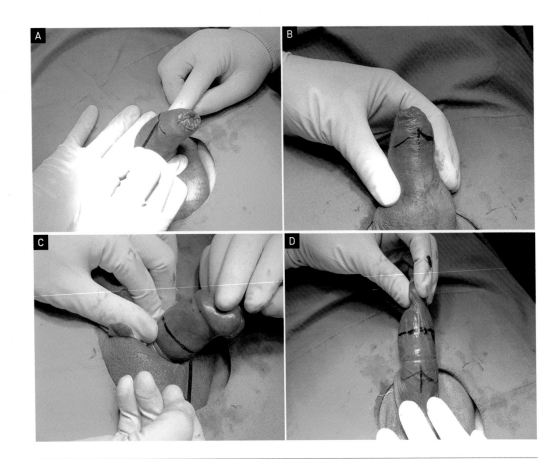

그림 2 절개부위 표시(디자인). A: corona 부위에 맞춰 근위부절개선을 긋는다, B: 복부(ventral side)에서 6시 방향에 V 모양으로 절개선을 긋는다, C: 원위부절개선은 corona에서 1-1.5cm 근위부에 표시한다, D: 원위부절개선은 6시 방향에서 V모양이 아닌 수평으로 표시한다.

닌 6시 방향 피부를 꼭지점으로 하여야 수술 후 음경의 뒤틀림(twisting)을 막을 수 있다(이 경우 선이 연결되지 않은 것이 수술이 잘못된 것이 아님을 설명하는 것이 좋다).

원위부(내측포피) 절개선은 corona에서 보통 1-1.5cm 근위부에 마크한다(그림 2C). 근위부절개선과는 달리 복부(ventral side)에서 수평으로 디자인한다(그림 2D). 원위부 피부(내측포피)는 음경피부와 달리 감염이나 손상에 취약하여 너무 많이 남길 경우 이에 따른 문제가 발생할 수 있다. 반대로 너무 적게 남길 경우 추후 포경수술라인을 이용한 음경확대수술이나 링삽입 등을 시행할 때 불리하게 되므로 이점도 고려하여야 한다. 포경수술 시 포피륜(constriction ring)은 꼭 제거되는 부분에 포함되어야 한다. Toothed forceps로 집어서 절개부위를 표시하는 선생님도 있지만, 마킹펜을 사용하는 것이 가장 정확하며 또한 이 방법은 마취가 완전히 된 후에 시행할 수 있으므로 추가시간이 소요된다. 일회용 마킹펜 사용이 부담된다면 젠티안바이올렛을 이용하는 것을 권한다. 필자의 경우 수술부위 마킹에 젠티안바이올렛을 사용하고 있다.

절개위치는 발기 시를 기준으로 하여야 한다. 마킹 후 음경을 당겨서(stretching) 근위부와 원위부절개선이 맞닿게 고정했을 때 배부(dorsal)와 복부(ventral) 모두에서 음경피부가 당겨지지 않고 적절한지 확인한다.

2) 수술방법(슬리브절제법)

성인포경수술은 forceps-guided 방법, 도잘슬릿(dorsal slit)법, 슬리브절제(sleeve resection)법 등을 이용하여 할 수 있으나, 디자인, 출혈, 조직손상 등 모든 부분에서 가장 좋은 결과를 얻을 수 있는 표준수술방법인 슬리브절제방법만을 다루기로 한다.

위에 기술한 대로 절제될 길이가 적절한지 음경을 당겨 확인하고 양측절개선이 대칭으로 표시되어 있는지 확인 후 15번 수술칼을 이용하여 근위부절개선부터 절개부위 피부를 양측으로 당기며 표재성혈관이 손상되지 않도록 얕게 절개한다(그림 3A). 원위부절개선도 같은 방법으로 절개한다.

포피를 박리할 때는 전기소작기의 절개전류(bovie cutting current)를 사용하면 피하조직손상 및 출혈을 최소화하면서 빠르게 진행할 수 있다. 다른 방법은 술자의 선호도에 따라 절개 시와 같은 15번 블레이드를 사용하거나 metzenbaum scissor를 사용할 수 있다. 박리 중 경미한 출혈은 그대로 둔 채 진행하여 박리가 끝난 후 지혈하고 출혈이 심할 경우 그때그때 출혈부위를 정확히 forcep으로 잡고 전기소작한다.

포피박리는 근위부와 원위부 절개선 사이 포피를 12시 방향에서 종절개 후 한쪽 절개단면을 2개의 mosquito clamp로 잡고 당기며 횡으로 피부와 피하조직을 박리하는 방법을 일반적으로 사용한다(그림 3B,C).

필자의 경우 근위부절개선의 12시와 6시 방향 포피를 mosquito clamp로 잡고 원위부로 당겨 뒤집어서 근위부절개선부터 원위부를 향해 종으로(vertical) 박리하는 방법을 사용한다(그림 3D, E, F). 이 방법은 횡으로 박리하는 방법보다 시간이 덜 걸리며 포피가 길 경우에도 박리가 쉽지

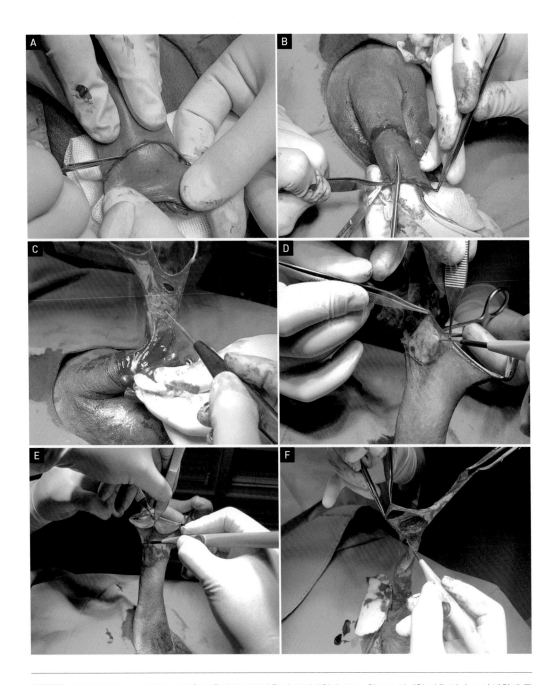

그림 3 슬리브절제법. A: 15번 수술칼을 이용하여 절개선을 따라 절개한다, B,C: 횡으로 박리할 경우 먼저 12시 방향에 종절개를 가한 후 mosquito clamp로 양끝단을 잡고 당기며 횡으로 박리한다, D~F: 종으로 박리하는 경우 근위부절개선 포피의 6, 12시 위치를 mosquito clamp로 잡고 당긴 상태로 포피를 뒤집어 박리한다.

만 귀두나 남겨져야 할 원위부 포피가 손상이 되지않도록 주의하여야 한다.

박리 시 표피만 얇게 벗겨내며 피하조직을 최대한 남기는 것이 수술 후 부종예방 및 불필요한 조직제거를 막는 데 도움이 된다. 하지만 일부분에서 표피(epidermis)가 덜 제거된 채로 봉합되게 되면 유피낭종(epdiermoid cyst)이 발생할 수 있으므로 주의해야 한다.

3) 지혈

박리가 끝난 후 철저한 지혈작업을 한다. 출혈점을 정확하게 forceps로 잡고 전기소작한다. 6시 방향은 아래에 요도가 있으므로 요도손상이 발생하지 않도록 특히 주의한다. 소대 아래가 일반적으로 출혈이 많은 부분으로 소대동맥(frenular arter) 출혈이 있을 경우 suture tie로 지혈하는 것이 요도손상 위험을 줄일 수 있다고 하나 보통 조심스런 전기소작으로 지혈이 가능하다. 전기소작으로 지혈할 경우 포셉으로 출혈점을 정확히 잡고 1초 이내의 짧은 시간 동안 지혈하는 것이 중요하다. 피부경계선의 경미한 출혈은 대부분 자연히 멎지만 피부경계선의 잘려나간 혈관벽에서 출혈될 경우 출혈점을 정확히 잡고 피부화상에 주의하며 전기소작한다. 다소 시간이 걸리더라도 완전한 지혈 후 봉합단계로 들어간다.

4) 봉합

지혈이 끝나면 봉합을 시작한다. 봉합사의 종류나 봉합방법은 술자의 선호도에 따라 선택할 수 있다. 기본적으로 중요한 부분은 양측단면이 잘 맞춰질 수 있게 하면서 창상열개(dehiscence)율을 낮추는 것, 다음은 봉합사누공을 최소화하는 것이다. 과거에는 해바라기 등 특수한 모양을 원하는 경우도 많았지만 이는 대부분의 경우 효과가 없으면서 보기 안 좋은 외관을 초래하므로 봉합자국을 최소화하면서 매끈하고 잘 디자인된 포경수술결과를 이루어야 한다.

성인포경수술에서 권장하는 봉합사는 빨리 흡수되는 흡수봉합사인 크로믹(catgut), vicryl rapide 3-0 또는 4-0이다. 크로믹의 단점은 염증반응이 심한 편이고 빠른 흡수로 인해 상처가 벌어질 수 있다는 점이다. Vicryl rapide는 염증반응이 적고 술 후 2주 이내에 흡수되므로 포경수술부위 봉합에 이상적인 봉합사이나 가격이 비싼 것이 단점이다.

염증반응과 상처벌어짐이 예상되거나 포경수술과 함께 대체진피나 링삽입 등 음경확대수술

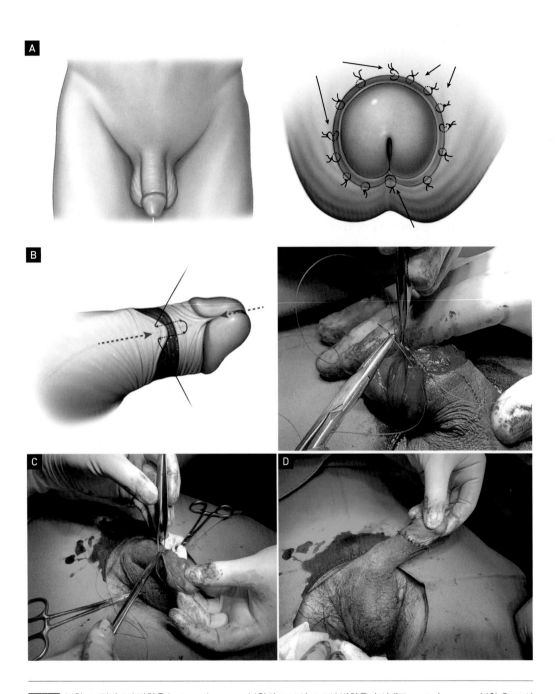

그림 4 봉합. A: 먼저 6시 방향을 horizontal mattress 봉합하고 12시, 3, 9시 방향을 순서대로 vertical mattress 봉합 후 그 사이를 2-3군데씩 단속봉합한다, B: 6시 방향 봉합은 horizontal mattress 봉합으로 시행한다, C: 12시, 9시, 3시 방향 봉합은 vertical mattress 봉합으로 시행하고 그 사이를 단속봉합한다. D: 봉합을 마친 후 음경을 당겨(stretching) 절개길이가 적절한 지 확인한다.

을 함께 시행할 경우 nylon 4-0, prolene 4-0 등 비흡수단섬유봉합사(nonabsorbable monofilament)를 사용하는 것이 좋다. 성인포경수술에서 봉합사 누공방지를 위해 봉합사의 굵기는 4-0가 적합하다.

봉합은 크로믹 4-0 등 흡수봉합사를 사용할 경우 상처벌어짐 방지를 위해 연속봉합(continuous suture)보다는 단속봉합(interrupted suture)을 기본으로 하는 것이 좋다. 3, 9, 12시 방향은 vertical mattress, 6시 방향은 horizontal mattress 봉합을 하고 그 사이부분을 단속봉합으로 하는 방법이 일반적인 표준봉합 방법이다(그림 4A). 6시 방향 봉합 시 앞서 언급한 것처럼 median raphe(또는 6시 방향 피부)와 요도, frenulum을 일직선으로 잘 정렬하는 것이 중요하며 요도손상이 되지 않도록 주의한다. 이 부분의 horizontal mattress 봉합은 지혈에 도움이 된다(그림 4B). 6시 방향과 12시 방향을 봉합할 때 실 한쪽을 길게 남겨 모스키토 클램프로 잡아 고정 후 9시 방향, 3시 방향을 봉합하고 그 사이를 적당한 간격으로 단속봉합한다. 이때 단속봉합은 한 사분면당 2-3봉합이 적절하다. 이렇게 하면 네 군데의 mattress 봉합을 포함 총 12-16개의 봉합을 하게 된다. 단순 봉합 시 피부절개면과 바늘자리가 가까울 수록 피부단단면(skin edge)이 잘 맞게 되지만 피부가 찢어지며 봉합이 탈락될 확률성이 높아진다. 반대로 바늘자리를 가장자리에서 멀리 했을 때는 피부가 inversion되고 단단면이 서로 어긋날 가능성이 높아 상처회복이 늦고 봉합자국이 크게 남을 수 있다. 따라서 바늘자리를 피부단단면에서 비교적 가깝게 적절히 유지하며 봉합하는 것이 좋다.

술자에 따라 전체를 vertical mattress 봉합하는 경우도 있으나 시간이 더 걸릴 뿐 아니라 봉합자국이 많이 남게 되므로 이 방법은 권하지 않는다.

봉합 시 피부 양끝단이 잘 맞는지, 뒤틀리지 않는지 잘 확인하여야 하며 바늘이 혈관을 찔러 출혈되지 않도록 피부내측의 혈관을 확인하며 봉합을 진행한다.

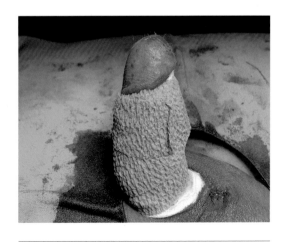

그림 5 수술을 마치고 코반을 감은 모습

5) 수술 마무리

피부단면에서 출혈이 발생할 경우 거즈로 감싸고 3-5분간 손으로 압박하여 지혈한다(중간에 압박을 풀지 않고 충분히 기다리는 것이 중요하다). 드레싱은 술자의 선호도에 따라 거즈만으로 건조드레싱 하거나 바셀린거즈로 먼저 감싼 후 거즈를 감는다. 거즈를 감은 후 코반(Coban)을 이용하여 가벼운 압박 드레싱을 하고 수술을 마친다(그림 5). 음경을 하복부에 고정하는 것이 부종방지 및 상처회복에 도움이 된다.

6) 수술 후 관리

수술 후 첫 외래진료는 2-3일(48-72시간)째 시행하며 드레싱 시에 거즈가 말라 있을 경우 거즈와 실밥이 붙어 있으면 무리하게 떼어내다가 실밥이 함께 제거될 수 있으므로 식염수나 소독용액을 적셔 부드럽게 한 후 실밥이 거즈와 함께 떨어지거나 출혈이 발생하지 않도록 조심하면서 거즈를 제거한다.

출혈과 부종이 없는 경우 더이상의 거즈압박 드레싱 없이 상처를 개방할 수 있다. 출혈과 부종 발생가능성이 있으면 다시 거즈를 감아주고 술 후 7일째 재방문하도록 한다(그림 6). 여기서 이상이 없으면 술 후 6주에 재방문하여 상처 회복 정도를 확인하고 성관계나 운동 등에 대해 설명한다. 술 후 6주까지는 성관계를 금하도록 하며 6주 이후에도 수개월 후 상처가 완전히 회복될 때까지는 성관계 시 꼭 콘돔을 사용하도록 설명한다.

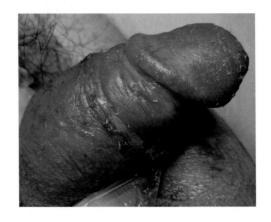

그림 6 술 후 7일째 방문에서 출혈, 상처벌어짐, 심한 부종이 없을 경우 주의점을 설명하고 술 후 6주에 재방문하도록 한다.

(1) 포경수술 후 환자교육지(예시)

수술 후 가능하면 1-2일 간 집에서 휴식을 취하는 것이 좋습니다. 수술 당일부터 씻을 수 있으나 드레싱부위가 젖지 않도록 주의합니다. 수술 2-3일째, 그리고 일주일째 상처 확인 및 드레싱을 위해 방문하게 되며 수술 6주째 최종 확인을 위해 방문하게 됩니다(출혈, 붓기, 상처벌어짐 등 상태에 따라 추가 방문이 필요할 수 있습니다).

수술 부위가 아프거나 약간 부을 수 있습니다. 이는 정상입니다.

수술 후 4-6주간 성관계나 자위행위는 피하여야 합니다. 이후에도 상처가 완전히 아물 때까지 3-6개월 간 성관계 시 콘돔 사용을 권합니다.

아래의 상태에서는 병원을 방문하시거나 연락 주세요.

- 수술 부위에서 피가 많이 날 경우
- 상처의 통증, 붓기가 점차 심화될 경우
- 수술 후 1주일 내에 열이 날 경우
- 상처에서 고름(농)이 나올 경우(투명한 분비물은 정상입니다.)
- ＿＿＿＿＿＿＿님의 다음 예약일은 ＿＿＿＿＿＿＿입니다.

참고문헌

• Manual for male circumcision under local anaesthesia and HIV prevention services for adolescent boys and men. World Health Organization. 2018 (https://www.malecircumcision.org/resource/manual-male-circumcision-under-local-anaesthesia-and-hiv-prevention-services-adolescent)

• Morris BJ, Krieger JN, Klausner JD. CDC's Male Circumcision Recommendations Represent a Key Public Health Measure. Glob Health Sci Pract. 2017 Mar 28;5(1):15-27.

• Julian Wan. Hinman's atlas of urologic surgery 3rd ed. 139-144. Elsevier/Saunders, c2012.

• Jeffrey S. Palmer. Campbell-Walsh Urology 10h edition. 3539-3543. Elsevier/Saunders, c2012

CHAPTER

03

합병증 및 대처

이웅희 · 동서울병원 비뇨의학과

포경수술은 창조적인 예술이다. 대부분의 수술과 달리 포경수술은 미용성형수술처럼 병이 없는 상태에서 진행되므로 수술 전 충분한 정보가 제공되어야 하며, 의사도 환자도 포경수술이 안전하게 진행되고 수술 후 상처치유가 잘 이루어 지도록 최선을 다해야 만족도를 높일 수 있다. 원론적으로 외과수술적 처치는 자동적으로 어떠한 위험성을 가져다 줄 수 있는 신체에 대한 개입인 것이 사실이다. 이에 어떤 문제나 오류가 생기는 과정은 보통 잘 드러나지 않기 때문에 흔히 오해가 따르게 된다. 우리는 실수가 일상적임을 벗어난 것으로 생각하지만 결코 그렇지 않다. 수술의 과정에서도 그렇지만, 상처치유의 과정에서도 정상치유과정을 벗어나는 경우가 있기 때문이다. 1910년 키슬러(S. L. Kistler)는 포경수술은 가장 평범하고 쉬운 수술 중 하나임에도 불구하고 많은 경우 서툴게 시술한다고 언급했다. 즉 많은 외과의사들은 이 작은 수술의 불운한 결과로 최고의 고객을 잃고 마찬가지로 장래의 고객들도 많이 잃어버리게 될 수 있다고 했다.

포경수술의 성공을 판단하는 기준은 의학적이든 할례의식을 통한 것이든 항상 미학적인 차원이 적용된다. 미용상 혹은 기능상 문제가 되는 가장 흔한 경우는 너무 많이 잘랐거나 덜 자른 경우가 된다. 만약 포피를 덜 잘라내면 포경수술을 하지 않은 것처럼 보여서 수술의 목적에 도달하지 못한다. 수술 후 상처치유과정의 섬유화된 수축고리가 형성되면 조일 수 있기 때문에 재수술이 필요할 수도 있다. 더 흔한 경우가 미숙한 의사들에 의해 포피를 너무 많이 절제하는 경우일 것이다. 외피의 과다한 절제는 미관상으로도 좋지 않고 발기 시의 당김에 의해 성적인 문제가 발생하기도 한다. 당김을 해결하기 위한 재수술에 피부이식을 포함한 복잡한 시술이 필요할 수 있다.

1. 합병증의 유병률

대부분 심각한 합병증이 발생하는 경우는 적지만, 의학적 부작용에 대해 산발적으로 이루어지는 보고를 가끔 접할 수 있다. 합병증에 대한 문헌에 따르면, 음경 축에 손상을 가하거나 유착된 포피를 분리과정의 귀두손상, 요도나 귀두에 손상을 주는 경우 그리고 의사가 지혈대로 무지하게 사용한 고무밴드 때문에 귀두 혹은 음경 일부가 괴사되는 사례 등이 있다.

캐나다 소아과학회 포경수술 검토위원회에서는 포괄적인 연구결과, 그들은 수술 후 합병증이 흔한 경우는 아니지만 다음과 같은 증세의 합병증이 발생할 수 있다고 보고하였다. 간단하게 처치되는 과다출혈, 귀두손상, 급성신부전, 생명이 위험할 정도의 패혈증 그리고 드물게 사망 등이다. 이러한 합병증은 수술 후 바로 드러나는 것이지만 다른 많은 수술과 마찬가지로 포경수술도 수년 후까지 자각할 수 없는 부작용을 낳기도 한다.

1940년대 영국에서는 영국중앙 호적사무소 사망 통계를 통해 포경수술로 매년 16명이 사망하였는데, 수술의 합병증보다는 전신마취 문제와 연관된 것이었다. 출혈과 감염과 연관된 합병증은 2% 정도로 보고되었다.

미국에서는 유아에게 전신마취를 하지 않으며 1950년대 포경수술의 합병증을 0.06%로 보고하는데, 1980년대의 보고에서는 0.19%의 합병증이 보고된다. 1970년대 워싱턴 대학병원에서는 포경수술도구인 플래스티벨(Plastibell)장치와 곰코집게(Gomco clamp)를 비교하기 위해 의무기록 조사결과 1.1% 환자에서 특별한 주의를 요할 정도의 상당한 출혈이 나타났다. 과다출혈은 비정상 혈관이나 혈우병과 연관된 것으로 보고된다. 이후 출혈조절을 위한 전기소작기와 관련된 합병증으로 심한 음경손상이 나타난 결과들이 보고된 바 있다.

포경수술은 종교적인 혹은 의학적인 적응에 따라 귀두를 덮고 있는 음경의 포피(foreskin, preputium)를 덮지 않을 정도의 길이로 잘라내는 외과적인 수술이다. 이 수술은 의학과 종교가 서로 다른 지혜의 흐름으로 갈라지기 훨씬 전인 수천 년 전부터 포피를 잘라내어 상징적인 상처를 만드는 의식이 되었다. 게다가 서양의학의 본질적인 특징으로 친숙하게 된 이 수술의 당위

성에 대해 20세기에는 위험성, 이점, 윤리성을 두고 일반적인 합의를 이루지 못하였다. 미국 소아과학회의 포경수술 특별위원회는 1999년 보고서에서 "신생아 포경수술의 잠재적 이점을 지지하는 과학적 증거들이 있지만 이 자료들이 일상적으로 행해지는 신생아 포경수술을 추천할 정도로 충분한 것은 아닌 것"으로 결론내면서 이후 일상적인 신생아 포경수술의 시행은 급격히 줄어들었다. 포경수술의 부작용 내용은 본 5장에서 다룬 포경수술이 소아와 성인의 수술로 분류되어 이에 따라 기술하고자 한다.

2. 소아 포경수술

포경수술의 의학적 역사가 오래된 만큼 전문가들에 의해 시행되었을 때 비교적 간단하고 합병증이 많지 않지만 여러 가지 원인으로 아직도 부적절한 상황에서 경험이 없는 인원에 의해 시행되었을 때 예기치 않은 합병증이 발생할 수 있다.

서양의학적으로 의학전문가에 의해 시행되는 신생아 포경수술과 대비하여 저개발국가의 종교적 상황 등 의료기관이 아닌 곳에서 시행되는 시술은 외과적인 수련을 받지 않은 시술자에 의해 많이 이루어진다는 차이가 있다. 문헌에 보고된 종교적인 비전문가 시술의 합병증 비율이 50%에 이르며, 음경절단, 피부연결다리(skin bridge), 요도피부샛길(urethrocutaneous fistula) 등의 심각한 합병증도 보고된다.

인과관계를 가지는 합병증은 수술 직후의 위험과 수술 이후의 합병증 그리고 포경수술로 인해 나중에 발생하는 지연성 후유장애로 분류할 수 있다. 경미한 합병증으로는 출혈, 혈종, 감염 등이 있으며 중대한 합병증으로 과도피부절제, 피부괴사, 귀두절단 등이 있다. 중대한 합병증은 전층피부이식으로 대처할 수 있지만 재앙적인 귀두절단 등은 피판이식이 필요할 수 있다.

플래스티벨(Plastibell)장치와 곰코집게(Gomco clamp)가 21세기까지 남아 있는 잘 알려진 포경수술 도구이다. 같은 도구를 사용하더라도 제거할 피부의 양을 정확히 가늠하는 것은 의사의 몫이다. 이 기구는 포피의 내부상피를 귀두상피에서 인위적으로 떼어내고 절제할 포피를 집은 다음 지혈이 될 충분한 시간이 지난 후 칼로 절제하는 것이다. 이 때 절제될 부분을 지나치게 당겨 올리면 과도한 피부절제가 되고 지혈되기 전 집게를 풀어 출혈의 합병증이 발생할 수 있다. 미국에서는 신생아 포경수술이 주로 곰코집게 등의 도구에 의해 시행되기 때문에 부주의한

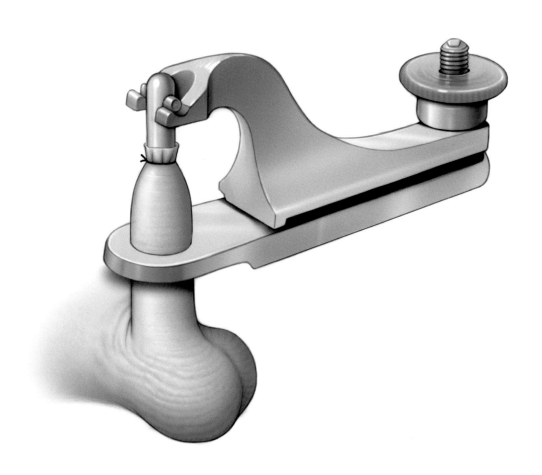

그림 1 곰코집게

귀두 포피 유착 분리로 발생하는 피부연결다리가 발생할 수 있고, 장치사용 시 금기된 전기소작기에 의한 귀두 괴사 및 음경손상 등의 중대한 합병증이 보고된 바 있다.

국내에서는 신생아 포경수술을 시행하는 빈도가 상대적으로 적어서 곰코집게나 도구에 의한 합병증의 보고가 많지 않다. 과거에는 신생아 시기보다는 겨울방학을 맞은 남자 초등학생을 대상으로 통과의례 식으로 포경수술을 시행하던 때가 있었는데, 경미한 합병증은 공통적으로 출혈, 혈종, 감염 등이고, 중대한 합병증으로 역시 과도피부절제, 피부괴사 등이 있다. 활동이 많은 학령기 소아의 포경수술에서는 복부비만이 동반된 숨은 음경이나 매몰음경에 대한 고려 없이 수술을 진행한 경우에 수술 후 상처처치의 어려움뿐만 아니라 수술 후 다시 매몰되는 현상이 동반될 수 있으므로 환자 및 보호자에게 음경기저부 고정술식에 대한 설명 없이 포경수술만을 시행하는 것은 금기이다.

이차성징이 나타난 이후의 포경수술은 포피 내부와 귀두 상피의 유착을 떼어내는 과정이 없어서 통증이 크지 않고, 수술 후 상처치유과정에서도 부작용이 적다는 장점이 있다. 상처치유과정의 합병증의 예방을 위해 오래 앉아있는 자세로 인해 음경이 골반저부에서 압력을 받아 수술부위의 포피에 압력이 생기지 않도록 주의해야 한다. 환자의 이해와 협조를 위해 수술 후 음경 드레싱부위가 치유과정 중에는 가능하면 골반 바깥으로 위치하도록 하고, 누워서 충분한 휴식을 취할수록 상처치유에 도움이 됨을 강조하는 것이 좋다. 환자들은 처음 경험한 수술인 경우가 많아서 수술과정이 수술의 목표인 것으로 아는 경우가 많으므로, 수술 직후 출혈, 혈종, 감염 등 상처치유의 과정을 확인하기 위해 수술 후 1일째 방문하여 상처소독과 함께 환자가 집에서 포피 수술부위에 압력이 생기지 않도록 하고 충분한 휴식을 취하도록 권하여 치유과정에 협조하도록 주의를 환기하여야 한다.

3. 성인 포경수술

성인 포경수술의 합병증도 조기, 지연 합병증으로 분류하면, 조기 합병증에는 쉽게 처치 가능한 통증, 출혈, 부종, 절제포피길이의 부적절함이 있으며, 심각한 합병증으로는 드물게 귀두 손상 등이 있다. 지연 합병증으로는 지속적 통증, 창상감염, 부종, 요정체, 요도구궤양, 요도구협착, 포피유착, 요도피부샛길, 봉합굴관(suture sinus tract), 음경감각소실 등이 동반될 수 있다. 봉합굴관은 비흡수성 봉합사를 사용한 경우 관이 형성되어 면포(comedon, blackhead)가 동반되는 경우가 있다.

성인 포경수술의 성공을 판단하는 미학적인 차원의 기준도 너무 많이 잘랐거나 너무 덜 자른 경우가 불만족의 원인이 될 수 있다. 성인의 경우 성생활과 관련된 지연 합병증에 대한 불만족 사유를 고려하는 것이 중요한데, 국내에서는 성인이 포경수술을 원하는 경우 과거의 이물질(foreign body) 삽입 등 음경수술 병력의 파악이 매우 중요하다. 이외에도 갱년기 이후의 재발성

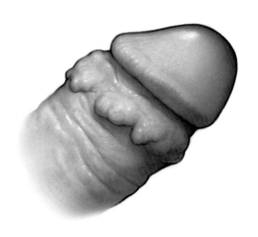
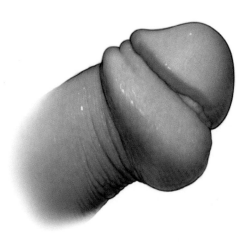

그림 2 비후성반흔, 감돈포경

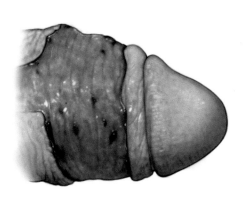
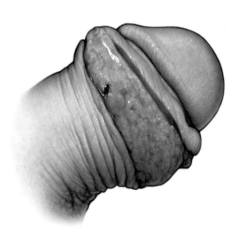

그림 3 소매절제수술

귀두포피염의 치료를 위한 경우나 숨은음경, 매몰음경의 교정을 단순히 포경수술로 해결을 원하는 경우가 많기 때문에, 성인의 포경수술이야말로 종교적인 혹은 의학적인 적응에 따라 귀

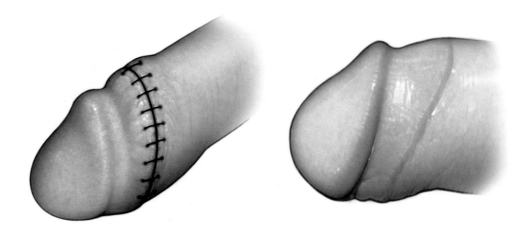

그림 4 소매절제 교정 후

두를 덮고 있는 음경의 포피를 덮지 않을 정도의 길이로 잘라내는 외과적인 수술이라는 개념보다는 성의학적 그리고 비뇨의학적인 음경질환에 대한 고려가 동반되어야 하는 수술이다.

이물질 환자뿐만 아니라 과거에 음경성형술을 받은 경우, 환자가 정확한 시술의 정보를 가지고 있지 않은 경우가 많기 때문에 자세한 병력과 음경의 이학적 검사를 통해 수술적응 여부와 치료계획을 세우고 환자에게 그 이유와 과정을 충분히 설명해야만 수술과정에 대한 인식을 현실화할 수 있다.

이전에 포경수술을 시행한 후 다시 포피가 덮이거나, 갱년기 이후 재발성 귀두포피염의 치료를 위해 수술을 고려하는 경우, 그리고 숨은음경, 매몰음경의 교정수술의 경우는 대부분 포경수술 외에도 음경기저부 고정술 및 음경성형술을 동시에 진행하여야 하는 경우가 많은데 이를 단순 포경수술로 계획을 세우면 수술의 목적에 도달하지 못할 수 있다. 또한 상처치유과정의 섬유화된 수축고리가 형성되면 조일 수 있기 때문에 재수술과 함께 이차성형술의 부담이 있다.

성인 포경수술 후의 불만족의 원인으로 비후성반흔, 반흔주름, 불완전포경수술 및 감돈포경 등이 있다. 이들 불만족 원인은 국소마취 하에 소매절제(sleeve resection) 방법으로 교정 가능하다.

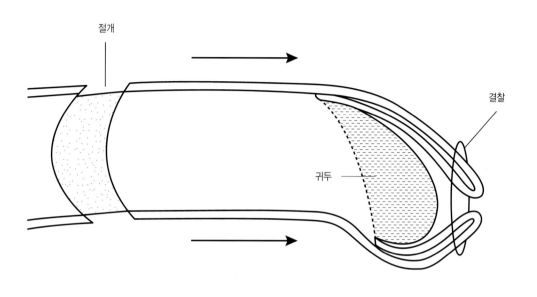

그림 5 역포경수술원리

4. 역포경수술(Uncircumcision)

성인의 경우 성생활과 관련된 지연 합병증에 대한 불만족 사유 중 가장 많은 것이 포피의 지나친 절제에 따른 피부당김, 치골상부 및 음낭의 음모가 당겨 올라와 성교통 및 피부자극에 대한 불만족 발생이다. 심하지 않은 경우에는 12시, 6시 방향의 음경 기저부 Z-plasty로 교정 가능하지만 심한 경우는 전층피부이식으로 대처해야만 교정될 수 있다. 아예 포경수술을 되돌리고자 하는 시술은 역포경수술(uncircumcision)이라고 하는데, 이는 음경 뿌리 부분에 절개선을 내어 남은 포피부분을 귀두가 덮이도록 당겨내고 피부의 절단부에서 뿌리부분까지 결손부위를 전층피부이식을 시행한다.

피부결손에 대해 음낭피부를 2단계로 이식하는 방법도 보고되지만 포피를 재건하기 위한 이들 수술방법이 반흔을 동반한다는 단점 외에 이식편의 색의 부조화나 질감의 차이 등이 문제가 될 수 있다. 이 때문에 포피 재건을 원하는 일반인들 사이에 피부확장술(skin expansion)이 시행되고 있다. 테이핑을 이용하여 포피를 귀두를 덮도록 당긴 후, 공이나 추 등의 중력을 이용

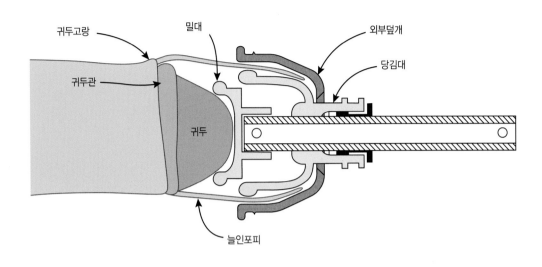

그림 6 피부확장술 기구

하여 지속적인 피부확장을 시도한다. 이 과정이 늘어나야 할 포피의 길이에 따라서는 수개월, 몇 년이 소요되기도 하지만 비수술적인 방법의 잇점으로 감각기관으로서의 포피회복, 신생아 포경수술의 반대운동으로서 1980년대 이후 일반인들이 이용하고 있는 방법이다.

참고문헌

• Byars LT, Trier WC. Some complications of circumcision and their surgical repair. Arch Surg 1958;76:477-82.

• Fekete F, Torok A, Nynady P. Revisions after unsatisfactory adult circumcisions. Int Urol Nephrol 2011;43:431-5.

• Gearhart JP, Rock JA. Total ablation of the penis after circumcision with electrocautery. J Urol 1989;142:799-801.

• Ince B, Dadaci M, Antuntas Z, et al. Rarely seen complications of circumcision, and their management. Turk J Urol 2016;42:12-5.

• Kaplan GW, Complications of circumcision. Urol Clin North Am 1983;10:543-9.

• Kon M. A rare complication of circumcision: The concealed penis. J Urol 1983;130:573-4.

• Radhakrishnan J, Reyes H. Penoplasty for buried penis secondary to radical circumcision. J Pediatr Surg 1984;19:629-31.

• Schulman J, Ben-Hur N, Neuman Z. Surgical complications of circumcision. Am J Dis Child 1964;107:149-54.

• Schultheiss D, Truss MC, Stief CG, et al. Uncircumcision: a historical review of preputial restoration. Plast Reconstr Surg 1998;101:1990-8.

• Weiss HA, Larke N, Halperin D, et al. Complications of circumcision in male neonates, infants and children: a systemic review. BMC Urology 2010;10:1471-90.

• Williams N, Kapila L. Complications of circumcision. Br J Surg 1993;80:1231-6.

PART

06

선천음경기형

개요

PENILE SURGERY

개요

김수웅 · 서울의대

포경, 선천음경굽이(congenital penile curvature), 모호한 음경(inconspicuous penis)은 대표적인 선천음경기형으로 본 장에서는 선천음경굽이와 모호한 음경을 다루고자 한다.

선천음경굽이는 음경해면체를 싸고 있는 음경백막(tunica albuginea)의 불균형 발달에 의해 발생하는 선천질환으로 음경백막의 섬유화로 굽이가 발생하는 페이로니병과 여러 면에서 다르다. 선천질환이지만 대개 10대 후반이나 20대에 이르러 병원을 찾게 되며, 대부분 배쪽굽이(ventral curvature)를 보인다. 굽이가 심한 경우 수술이 유일한 치료법이며 대부분 음경길이가 충분하여 음경단축술이 보편적으로 시행된다. 페이로니병 환자에서 시행하는 음경단축술은 다루지 않고 두 층으로 이루어진 음경백막의 해부학적 구조를 이용한 음경단축술을 소개하고자 한다.

모호한 음경은 숨은음경(concealed penis), 매몰음경(buried penis), 갈퀴음경(webbed penis) 등을 포함하는 용어이다. 혼동을 줄 수 있는 용어들을 먼저 정리하고 숨은음경과 매몰음경을 중심으로 진단, 치료방법과 치료시기의 결정, 술 전 고려사항을 설명하고자 한다. 끝으로 수술치료의 각 과정을 그림과 함께 자세히 소개하고자 한다.

CHAPTER
01

선천음경굽이

김수웅 • 서울의대

수술의 원리는 페이로니병 환자에서 시행하는 음경단축술과 동일하지만 환자들이 젊고 발기력이 좋기 때문에 비흡수봉합사만으로 굽이교정이 이루어지는 주름성형술(plication operation)은 재발의 우려로 권장되지 않는다. 과거에는 음경백막을 타원으로 절제 혹은 절개한 뒤 백막을 봉합해주는 Nesbit 술식이 흔히 이용되었다. 백막에 세로방향의 절개를 가하고 가로방향으로 봉합하는 Yachia 술식과 같이 Nesbit 변형술식을 이용할 수도 있다. 저자는 본 장에서 외종층(outer longitudinal layer)과 내환상층(inner circular layer)의 두 층으로 구성되어 있는 음경백막의 외종층만 절개하거나 절제하여 봉합함으로써 음경굽이를 교정하는 술식들을 소개하고자 한다.

1. 음경해면체회전술(Corporal rotation)

2006년도에 이집트의 Osama Shaeer가 처음으로 발표한 수술법으로 수술의 원리는 배쪽굽이로 인해 볼록한 음경의 등쪽에서 각각의 음경해면체 백막에 세로로 평행 절개를 가하여 이를 봉합함으로써 양측 음경해면체를 내측으로 회전시켜 배쪽으로 향한 굴곡력을 외측으로 이동시켜 음경을 바르게 해주는 것이다(그림 1). 음경백막의 외종층만 절개하여 먼저 내측면을 연결하고 이후 외측면을 연결하여 음경해면체를 회전시킨다. 음경길이의 단축이 거의 발생하지 않는다는 점에서 다른 단축술과 구분된다.

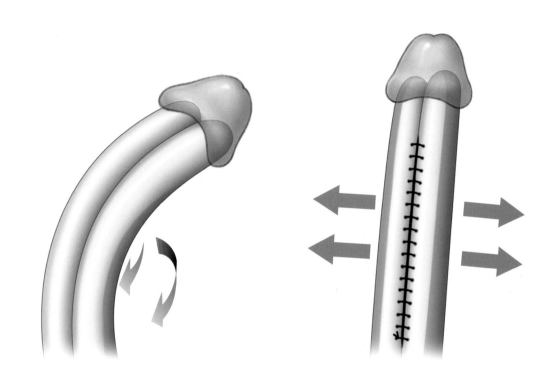

그림 1　음경해면체회전술의 수술 원리. 음경의 등쪽에서 양측 음경해면체를 내측으로 회전시켜 배쪽으로 향한 굴곡력을 외측으로 이동시켜 음경을 바르게 해준다.

1) 마취

요도카테터 유치를 피하기 위해 전신마취를 선호한다. 수술의 범위가 넓어 국소마취는 적절치 않다.

2) 피부절개와 접근

포경수술이 시행된 경우에는 이전 수술의 절개선을 따라, 그렇지 않은 경우에는 일반적인 포경수술에 사용하는 절개를 시행한다. 음경 피부를 완전히 벗긴 이후 음경 등쪽에서 심부음경근막(Buck's fascia)을 세로로 절개한다. 중앙에 위치한 심부배부정맥(deep dorsal vein)과 외측으로 위치한 배부동맥과 배부신경의 분포를 확인한다(그림 2). 중앙에서 약 5mm 정도 떨어진 지점에서 음경백막에 세로로 절개를 시행해야 하므로 심부배부정맥과 배부동맥 사이에 공간

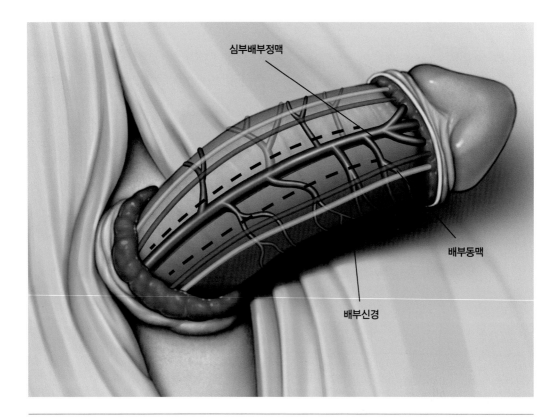

심부배부정맥

배부동맥

배부신경

그림 2 음경 등쪽의 해부학적 구조. 음경피부를 완전히 벗긴 후 심부음경근막을 절개하여 중앙에 위치한 심부배부정맥과 외측으로 위치한 배부동맥과 배부정맥을 확인하고 음경백막에 가상의 절개선(점선 표시)을 표시한다.

을 확보해야 한다(그림 2의 점선). 대부분의 경우 배부동맥을 박리할 필요는 없다. 심부배부정맥 이 너무 굵거나 분지가 많아 음경백막 절개에 필요한 공간 확보가 어렵다고 판단되면 결찰하 여 절단한다.

3) 발기유도와 시험봉합(Trial suture)

술기에 익숙해지기 전까지는 시간이 오래 걸리는 수술이므로 부분 발기유도가 안전할 수 있 다. Prostaglandin E1을 $10\mu g$ 이하 용량으로 해면체 내 주사하여 부분 발기를 유도하고 필요시 음경뿌리를 손으로 눌러 완전 발기를 유도할 수 있다. 음경백막을 깨끗하게 노출시키고 만곡 의 최대점을 중심으로 절개를 시행할 가상의 선(그림 2의 점선)을 표시한다. 음경 등쪽 중앙으로 부터 외측으로 각각 5mm 정도 떨어진 지점에서 세로로 절개한다(절개선 사이의 거리가 약 1cm).

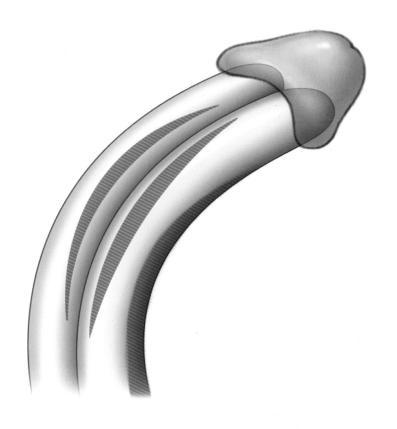

그림 3 음경백막 절개. 음경백막의 외종층만 절개하여 아래에 보존된 내환상층이 약간의 출혈과 함께 관찰된다. 음경해면체 회전을 위해 절개창이 어느 정도 간격으로 벌어져야 한다.

절개 전 2/0 silk 또는 2-0 polyglactin 봉합사(Vicryl®)를 이용하여 가상 절개선의 근위부와 원위부 끝에서 시험봉합을 시행하여 음경굽이가 해소되는지를 확인해 본다. 시험봉합을 시행할 지점을 정하는 데 특별한 원칙은 없다. 몇 번 시행해 보면 요령을 익힐 수 있다.

4) 음경백막 절개

　시험봉합으로 음경백막 절개의 범위가 결정되면 각각의 음경해면체 등쪽에서 수직으로 음경백막을 절개한다. 이 때 음경백막의 외종층만 절개하고 내환상층은 보존한다. 칼로 얇게 여러 번 절개하며 내환상층을 확인해 가는 것이 좋다. 음경백막의 섬유들이 환상으로 주행하는 것을 쉽게 확인할 수 있으며 피가 비치는 정도로 약간의 출혈이 있을 수 있다. 내환상층까지 절개를 하면 음경해면체 내부가 노출되어 심한 출혈이 발생한다. 우선 봉합으로 지혈을 하고 백막 절개를 진행하는 것이 낫다. 음경해면체를 회전시키기 위해서는 절개된 음경백막 외종층의 내측면과 외측면을 따로 연결해야 하므로 절개창이 어느 정도 간격으로 벌어져야 한다(그림 3). 음경백막 절개 도중 심부배부정맥의 가지들을 만나면 양극소작기(bipolar cautery)로 지혈해 주면서 절개를 진행하면 된다.

5) 음경해면체 회전

절개된 음경백막 외종층의 내측면끼리 봉합하고 이후 외측면끼리 봉합하여 음경해면체를

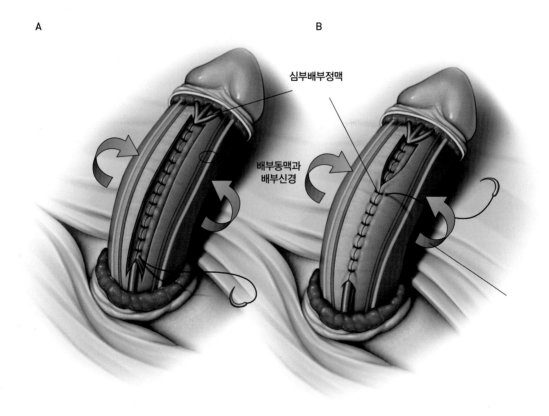

그림 4 음경해면체 회전. A: 절개된 음경백막 외종층의 내측면끼리를 연속으로 봉합한다. B: 이후 음경백막 외종층의 외측면끼리를 봉합한다.

회전시켜 음경굽이를 교정한다(그림 4). 2/0 polyglactin (Vicryl®) 혹은 polydioxanone (PDS) 봉합사를 이용해 연속봉합으로 내측면을 우선 봉합한다. 대부분 원위부 끝에서 시작하며 각각의 봉합 때마다 제1보조자가 음경을 굽이 반대쪽(등쪽)으로 꺾어 음경이 펴지게 한다. 이를 통하여 봉합이 이완되지 않고 음경해면체를 효과적으로 회전시킬 수 있다.

　음경백막 외종층의 내측면 봉합이 완료되면 외측면 봉합을 근위부 끝에서 시작하여 동일한 요령으로 시행한다. 봉합의 안정성을 위하여 약 1cm 간격으로 단속봉합을 추가할 수 있다. 음경해면체 회전이 완료되면 음경굽이가 완전히 교정되었는지 확인한다. 수술 중 발기가 소실되었다면 인공발기를 유발한다. 음경굽이가 남아있다면(대개 10도 이상) 음경백막 절개창을 연장하여 추가로 음경해면체회전술을 시행하거나 다른 방법의 음경단축술을 추가할 수 있다. 음경굽이가 완전히 교정된 것을 확인 후 phenylephrine 희석액을 음경해면체 내로 주사하여 발기를 완전히 소실시킨다.

6) 상처봉합과 드레싱

　심부음경근막을 닫아주고 상처봉합을 시행한다. 음경백막 외종층만의 절개가 올바르게 시행되면 출혈은 거의 없다. 배뇨에 방해가 되지 않을 정도의 가벼운 압박드레싱을 시행한다. 수술 다음날 상처를 확인하고 퇴원한다. 적어도 한 달 이상은 성행위를 금지한다.

2. 음경백막의 외종층 절제를 이용한 음경단축술

　수술의 원리는 Nesbit 술식과 동일하지만 내환상층을 보존하므로 출혈이 거의 없고 음경해면체 내부에 손상이 발생하지 않는다. 노출된 외종층의 면을 봉합할 때 흡수봉합사를 사용할 수 있으므로 시간이 지나면 봉합사가 만져지지 않는다는 것도 장점이다.

1) 마취

　요도카테터 유치를 피하기 위해 전신마취를 선호한다. 수술이 복잡하지 않아 익숙해지면 음경굽이가 심하지 않은 경우에는 진정과 국소마취로도 시행이 가능하다.

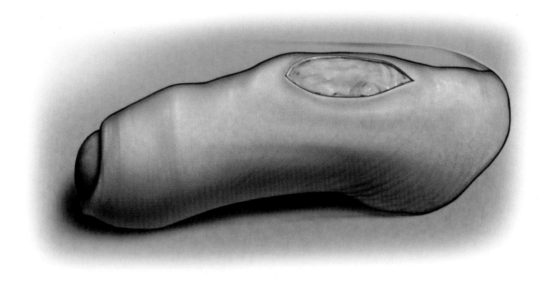

그림 5 음경 등쪽 세로 피부절개

2) 피부절개와 발기유도

환상절개를 시행하여 음경피부를 벗겨 수술을 시행한다. 수술에 익숙해지고 음경굽이가 심하지 않으면 단축술을 시행할 곳의 피부만 세로로 절개하여 수술을 시행할 수도 있다(그림 5). 음경해면체회전술에 비하여 수술시간이 길지 않으므로 Prostaglandin E1을 20μg 해면체 내 주사하여 완전 발기를 유도하여 수술을 시행해도 된다. 음경굽이 최대 점의 반대측에 표시를 하고 이를 중심으로 심부음경근막을 세로로 절개하여 심부배부정맥 부근까지 신경혈관다발을 박리한다. 신경혈관다발의 박리는 최소한으로 시행하면 되고 경우에 따라 신경혈관다발 박리 없이 수술을 시행할 수 있다.

3) 음경백막 절제

한 쪽 음경해면체의 등쪽에서 음경굽이의 최대 점에 가로로 타원형의 음경백막 절개선을 그린다(그림 6). 타원형의 가로는 8-10mm, 세로는 4-5mm 정도로 한다. 타원이 크면(특히 세로) 굽이교정 효과가 크지만 봉합장력을 줄이고 자연스러운 굽이교정을 위해 음경백막 절개창을 작

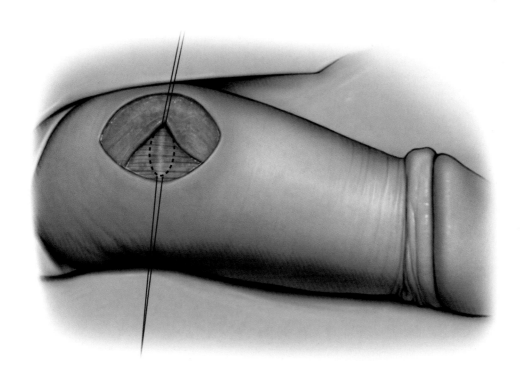

그림 6 음경백막 절개선 표시. 음경 등쪽에서 굽이의 최대점에 가로로 타원형의 음경백막 절개선을 표시한다. 타원형 가로의 끝에 표지봉합을 시행한다. 신경혈관다발이 심부배부정맥까지 박리되어 있다.

게 하여 여러 군데 시행하는 것이 권장된다. 음경굽이가 심하지 않은 경우에는(대개 30도 내외의 굽이) 한 개의 타원형 음경백막 절제(양쪽 음경해면체에 시행하므로 실제 2개의 절제)로도 교정이 가능하지만 대개 2개 혹은 3개(총 4개 혹은 6개)의 절제창으로 교정한다. 타원형 가로의 끝에 표지봉합(tagging suture)을 하면 수술이 좀 더 용이하다. 표시된 타원형을 따라 칼로 조심스럽게 음경백막의 외종층만 절개한다(그림 7). 음경백막의 내환상층을 확인한 이후 백막 외종층만 조심스럽게 절제한다(그림 8). 제1보조자가 집게손가락을 음경의 배쪽에 대고 엄지손가락으로 등쪽에서 음경을 누르면 음경이 신장되어 백막 절제에 도움을 줄 수 있다(그림 8). 외측굽이(lateral curvature)가 동반되지 않으면 다른 쪽 음경해면체에 동일한 방법으로 음경백막 절제를 시행한다.

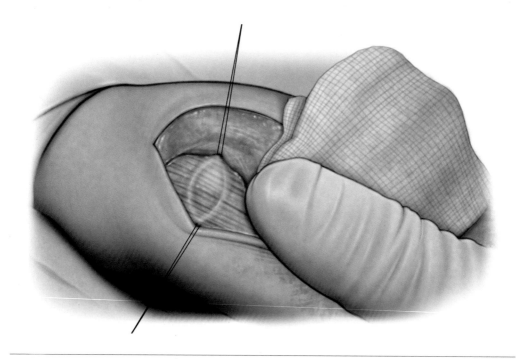

그림 7 음경백막 절개. 타원형의 절개선을 따라 음경백막의 외종층만 절개한다.

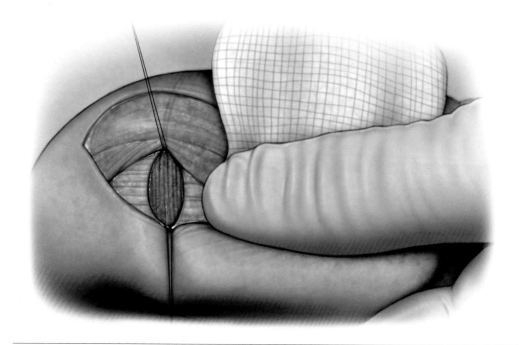

그림 8 음경백막 절제. 음경백막 외종층 절개로 내환상층이 확인되면 외종층만 절제한다. 제1보조자가 음경을 신장시키는 것이 도움을 줄 수 있다.

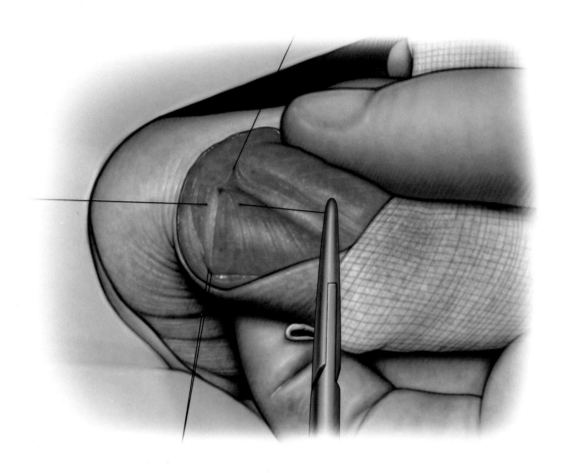

그림 9 음경백막 외종층의 봉합. 음경백막 외종층 절제 후 타원형으로 벌어진 외종층 면을 단속봉합으로 닫아 음경굽이를 교정한다.

4) 음경백막 외종층의 봉합

절제된 음경백막 외종층을 3/0 polyglactin (Vicryl®)과 같은 흡수봉합사를 이용하여 단속봉합으로 닫아준다(그림 9). 대개 5-6개의 봉합으로 충분하다. 양측으로 음경백막 외종층의 봉합이 완료되면 발기를 유도하여 음경굽이의 교정 정도를 확인한다. 그 결과에 따라 추가적인 음경백막 절제를 시행한다. 음경굽이가 심한 경우에도 한 쪽 음경해면체에 3개(총 6개)의 음경백막 절제로 대부분 굽이교정이 가능하다(그림 10).

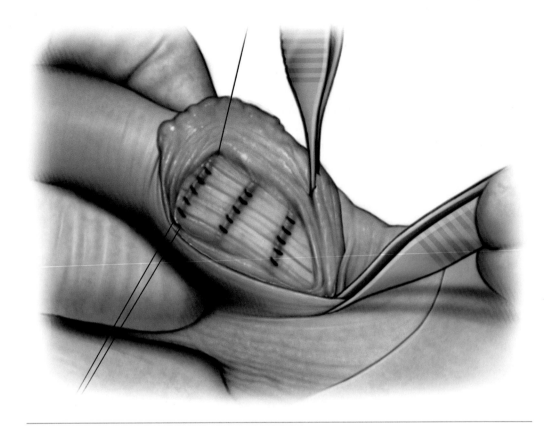

그림 10 음경굽이 교정 완료. 한 쪽 음경해면체에 3개(총 6개)의 음경백막 외종층 절제를 시행하여 음경굽이 교정을 완료한다.

5) 상처봉합과 드레싱

심부음경근막을 닫아주고 상처봉합을 시행한다. 음경백막 외종층만의 절제가 올바르게 시행되면 출혈은 거의 없다. 배뇨에 방해가 되지 않을 정도의 가벼운 압박드레싱을 시행한다. 수술 다음날 상처를 확인하고 퇴원한다. 국소마취로 시행한 경우에는 당일 퇴원도 가능하다. 적어도 한 달 이상은 성행위를 금지한다.

참고문헌 ··

• Bella AJ, Lee JC, Grober ED, et al. 2018 Canadian Urological Association guideline for Peyronie's disease and congenital penile curvature. Can Urol Assoc J 2018;12:E197–209. Perdzyński W, Adamek M. A new corporoplasty based on stratified structure of tunica albuginea for the treatment of congenital penile curvature–long–term results. Cent European J Urol 2015;68:102–8.

• Perdzyński W, Adamek M. Three anatomical levels: possibilities to decrease invasiveness of reconstructive surgery for congenital penile curvature. Cent European J Urol 2017;70:280–8.

• Shaeer O. Shaeer's corporal rotation for length–preserving correction of penile curvature: modifications and 3–year experience. J Sex Med 2008;5:2716–24.

• Shaeer O. Shaeer's corporal rotation. J Sex Med 2010;7(1 Pt 1):16–9.

02 숨은음경/매몰음경

박성찬 · 울산의대

1. 용어의 정리

외견상 작아 보이는 음경에는 여러 가지의 진단이 혼재되어 있어 숨은음경에 대하여 알아보려면 먼저 정확한 용어 정리 및 진단이 선행되어야 한다. 1919년에 Keyes EI 등은 숨은음경을 영어로 'hidden penis'로 명명하였고 여기에 숨은음경, 매몰음경 등을 포함하여 사용하였다. 1977년에 Crawford 등이 모호한 음경(Inconspicuous penis)이란 용어를 사용하였고 여기에 숨은음경, 부분 매몰음경, 완전 매몰음경, 갈퀴음경(webbed penis)이 포함되었다. 1986년에 Maizels 등은 모호한 음경이 음경피부의 선천적 부족과 피하지방의 과다에 의해 발생하므로 모호한 음경은 사실 숨은음경이고 심한 정도에 따라 매몰음경, 갈퀴음경, 닫힌음경(trapped penis), 왜소음경(micropenis)으로 구분하였다.

2015년도 최신판 Cambell-Walsh Urology(11th edition)에도 Maizels의 의견을 바탕으로 모호한 음경이 분류되어 있다. 국내에서는 이러한 용어 문제가 번역을 거치면서 이중적으로 혼동되는 더 큰 문제가 있어왔다. 이에 대한소아비뇨의학회지에서 Oh 등은 2009년 용어를 정리하여 외견상 작아 보이는 음경을 모호한 음경으로 명명하고 크게 숨은음경, 매몰음경, 갈퀴음경, 닫힌음경 4가지로의 분류를 제안하였다. 왜소음경은 원인 및 치료가 완전히 다르기 때문에 다른 질환으로 분류하였다(표 1).

표 1 외견상 작아 보이는 음경의 분류

1. 모호한 음경(inconspicuous penis)

   (1) 숨은음경(concealed penis)*

   is caused by deficient outer penile skin or ine-lasticity of the dartos fascia

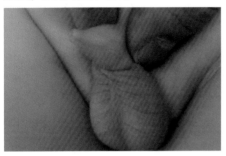

   (2) 매몰음경(buried penis)

   is caused by poor penile skin fixation at the penile base or excessive suprapubic fat

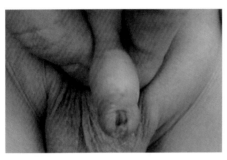

   ※ 숨은음경과 매몰음경을 좌우하는 것은 음경포피가 뒤로 재껴질 정도의 충분한 음경피부가 있는지 여부이고 피부가 적을수록 숨은 음경의 수술에서 피부에 영향을 미친다.

   (3) 갈퀴음경(webbed penis)

   is characterized by a ventral fold of skin that joins the distal shaft and scrotum, obscuring the penoscrotal angle.

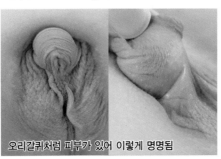

오리갈퀴처럼 피부가 있어 이렇게 명명됨

   (4) 닫힌음경(trapped penis)

   is covered by scar tissue that occurred sec-ondarily after circumcision

2. micropenis

   Abnormally small and normally structured penis

   Stretched penile length is less than 2 or 2.5 standard deviation of normal age reference.

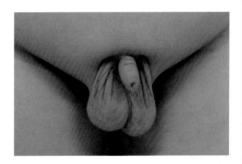

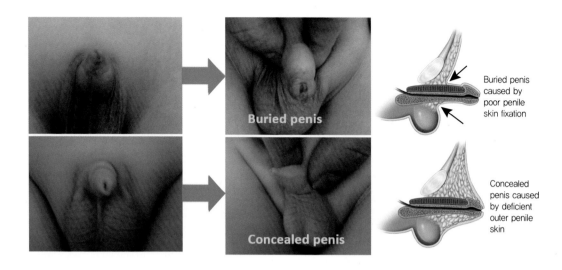

그림 1 숨은음경(concealed penis)과 매몰음경(buried penis)

2. 진단

음경은 정상이나 크기만 작다면 왜소음경으로 진단이 가능하고 정상 구조를 형성하지 못하고 작다면 왜소성기(microphallus)로 진단할 수 있다. 음경 크기가 정상이면서 음경피부 안 쪽으로 숨어 있어 음경피부를 젖히면 음경이 밖으로 돌출되면 모호한 음경(숨은음경 또는 매몰음경)으로 진단할 수 있다. 이견은 있지만 2009년 Oh 등이 제시한 모호한 음경의 분류에 의하면 음경피부를 젖혀 음경을 밖으로 돌출시킬 때 음경피부 부족으로 돌출이 어려운 경우를 숨은음경, 음경피부의 이동성이 문제여서 돌출이 잘 되는 경우 매몰음경으로 볼 수 있다(그림 1).

3. 치료의 방법 및 시기 결정

약한 숨은음경에서 심한 음경포피협착이 관찰되면 스테로이드 연고를 사용하면서 음경포피를 젖혀서 귀두가 밖으로 돌출되게 시도해 볼 수 있다. 매몰음경이면서 지방이 과다한 경우는 살을 빼고 경과를 지켜볼 수 있다.

수술시기에 대해 Cambell 등은 7세 이후에 시행하여야 한다고 하였으나, 2-3세 이전 조기에 수술하자는 주장과 학령기에 해야 한다는 등 다양한 주장이 있다. 하지만 환아 본인이 가지는 느낌, 보호자의 의견, 모호한 음경의 심한 정도에 따라 수술 및 수술시기를 결정하는 것이 가

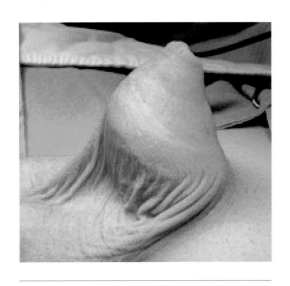

그림 2 사춘기가 지난 숨은 음경

장 합리적일 것 같다. 저자는 개인적으로 보호자나 환아 본인의 스트레스가 없다면 매몰음경은 사춘기 이후까지 관찰하여 사춘기에 음경 성장으로 밖으로 돌출되는지를 확인하는 것이 낫다고 생각한다. 이 때 포피협착은 해결해 주어야 한다. 숨은음경은 음경이 성장하면서 돌출되지 않고 속으로 더 숨게 되어서 휠 수 있으므로 사춘기 이전에 수술해 주는 것이 낫다고 생각한다(그림 2).

4. 수술 전 고려사항

수술장에서 처음으로 포피에 가려진 귀두를 노출시키는 경우가 대부분이다. 이 때 주의할 점은 귀두 모양인데, 당연히 정상으로 생각하는 귀두 모양에 이상이 있을 수 있음을 반드시 보호자에게 미리 설명하고 동의를 받아야 한다. 대표적인 질환으로 폐쇄성건조귀두염(balanitis xerotica obliterans, BXO), 요도협착, 요도하열, 요도상열, 귀두 혈관종 등이 있다. BXO나 요도협

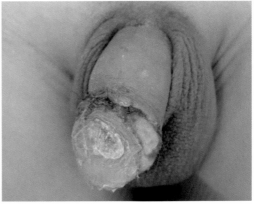

그림 3 폐쇄성건조귀두염(balanitis xerotica obliterans, BXO) 환자의 수술 전 상태와 수술 후 2주일 째 상처가 더디게 아무는 모습

착인 경우는 수술 직후 보호자에게 수술 후 상처가 잘 아물지 않을 수 있음과 요류 감소 및 추가 치료의 가능성에 대하여 설명하여야 한다(그림 3). 요도하열과 요도상열은 수술 시작 전에 다시 보호자와 상의하여 다음에 전신마취로 수술을 고려하거나 전신마취인 경우에는 동의를 다시 얻어서 교정 수술을 같이 시행할 수도 있다.

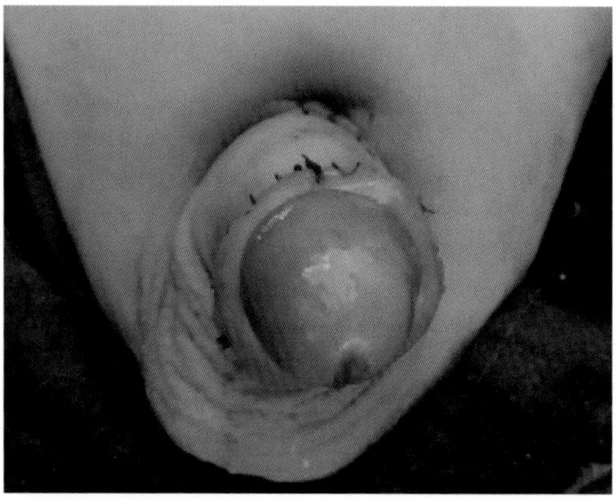

그림 4 Jung 등이 소개한 매몰음경의 음경성형술. 음경치골 굴곡(penopubic angle) 부위에 1cm 정도의 절개로 11시, 1시에 근막피부 고정(skin-Dartos fascia fixation) 두 군데를 하고 추가적인 포경수술을 시행한 모습. 방법이 비교적 간단하고 수술 후 일반 포경수술과 비슷한 회복을 보인다.

5. 수술치료

숨은음경/매몰음경의 수술에 관하여 매우 다양한 방법들과 결과들이 발표되었다. 환자의 병인에 따라 수술방법을 선택하는 것이 제일 중요하며 비만이 동반된 경우는 지방흡입이나 절제를 고려할 수 있다. 1998년 Cromie 등이 발표한 방법을 근간으로 하여 여러 가지로 변형된 수술방법들이 소개되었다. 국내에서도 Jung 등이 매몰음경에 대하여 포경수술에 더해 12시 부분만 절개하여 간단하게 교정하는 수술방법을 소개하였다(그림 4). 매몰음경은 음경피부가 충분하여 숨은음경에 비해 수술방법이 간단하므로 숨은음경을 수술할 수 있는 능력이 있으면 매몰음경은 모두 수술할 수 있다고 생각한다. 주로 숨은음경을 교정하기 위한 수술방법을 4가지 중요 단계(표 2)를 중심으로 설명하고자 한다.

표 2 Key steps in surgical procedure of concealed penis

이론적으로 가능한 길이연장(%)
1. 포피협착 제거 Incision of pimotic (stenotic) ring: remove stenotic ring completely
2. 음경외피 박리 Degloving of penis to remove dysplastic tissue: on the Dartos fascia layer
3. 피부근막 고정 Fixation of penile skin to Dartos fascia: non-absorbable suture (prolene, polyester)
4. 음경피부 봉합 Design and suture of penile skin to cover penis: flap and trimming
5. 드레싱

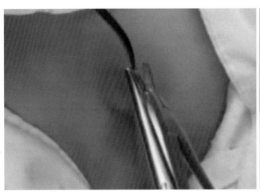

그림 5 협착된 귀두포피를 제거 방법. A: 협착륜 절제, B: 6시와 12시 방향을 종방향으로 절개

1) 포피협착 제거

귀두를 밖으로 돌출시키기 위해 음경포피의 좁은 협착을 제거하는 단계로 협착을 절제하거나 6시, 12시를 절개하는 방법이 있다(그림 5). 이때 협착을 완전히 제거해야만 나중에 음경이 끼지 않는다.

2) 음경외피 박리

협착을 없애기 위해 절개하였거나 절제된 부위에서부터 음경뿌리 또는 음낭까지 Dartos 근막을 따라 음경을 박리하는 과정이다(degloving). 근막이 딱딱하면 전기소작이나 가위(Metzenbaum scissors)로 박리하고 그렇지 않은 부분은 피나는 부분만 지혈하고 손으로 밀면 음경뿌리까지 쉽게 박리된다. 전신마취인 경우 귀두에 나일론 4-0로 표지봉합을 걸고 음경을 당기면서 박리를 시행하면 깊은 부위까지 박리가 쉽게 이루어진다(그림 6). 국소마취인 경우 상기 방법

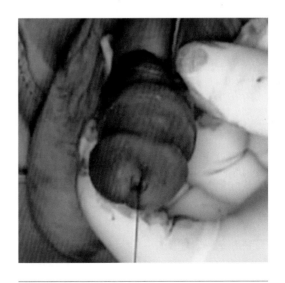

그림 6 귀두에 4-0 나일론 봉합을 걸어 당기면서 수술하는 모습

은 통증을 호소할 수 있으므로 귀두 쪽 피하를 잡거나 mosquito 클램프로 이 부분을 집어 당기면 같은 효과를 얻을 수 있다.

음경외피박리를 한 후에도 음경이 충분히 밖으로 돌출되지 않는 경우 현수인대(suspensory ligament)까지 박리하여 이를 절제할 수 있으며, 지방이 너무 많아 묻혀 있는 경우에는 지방둔덕을 절제하거나 지방흡입을 고려할 수 있다.

3) 피부근막 고정

음경피부를 Dartos fascia에 잘 고정하는 과정으로 포경수술과 구별되는 음경성형술(peno-plasty)의 주요 단계라 할 수 있다. 나일론, 프롤린, 폴리에스터 등의 비흡수봉합사를 사용하는 것이 원칙이고 환아의 나이에 따라 3-0~5-0 굵기를 주로 사용한다. Cromies 등은 4군데 고정법을 제시하였는데, 10, 2, 5, 7시 또는 10, 2, 4, 8시 방향에서 음경음낭 접합부(penoscrotal junc-tion or penopubic angle)에 고정한다. Frenkl 등은 3, 6, 9시 3군데만 고정하여도 만족할 만한 결과를 얻을 수 있다고 하였다. 저자는 6시 근처에 위치한 비흡수봉합사가 나중에 만져질까 우려하여 주로 9시, 12시, 3시 3군데를 고정하는데 현재까지 아무런 문제가 없었다. 매몰음경에서는 12시 한 군데나 11시, 1시 두 군데만 고정하여도 문제가 없다고는 하나 회복하는 과정에서 고정한 부위가 뜯어지거나 실이 풀리면 재발하거나 닫힌음경을 유발할 수 있어서 조심해야 한다.

고정 과정에서 주의해야 할 점은 피부 쪽 고정시 피부를 온전히 포함하면서도 피부 밖으로는 실이 나오지 않게 하는 것이다. 피부를 포함하지 않고 피하지방만 고정하게 되면 재발되거나 닫힌음경이 될 수 있다. 저자는 긴 집게(long forceps)로 고정해야 할 지점을 집고(그림 7A), 피부를

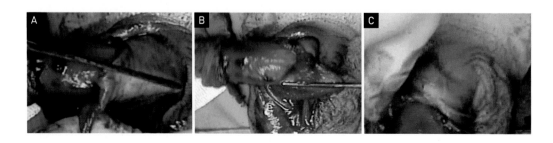

그림 7 피부-음경근막고정. 긴 포셉으로 봉합할 지점을 잡고(A), 뒤집어 안쪽을 노출하고(B), 여기를 봉합사로 꿰맨 후 다시 뒤집어 봉합사를 당겨 만곡(dimple)을 확인하여 잘 꿰매졌는지 확인한다(C).

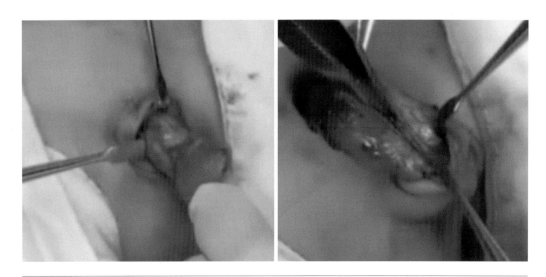

그림 8 피부-음경근막을 봉합하기 위해 견인기로 당긴 모습

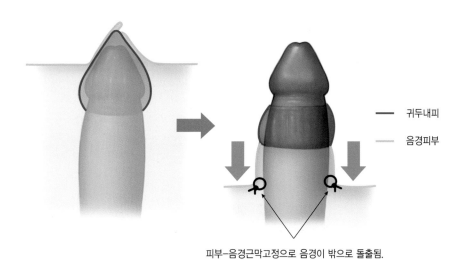

귀두내피

음경피부

피부-음경근막고정으로 음경이 밖으로 돌출됨.

그림 9 숨은음경은 음경피부가 부족(살색)하므로 피부근막을 고정하면 모식도처럼 음경피부가 상부로 내려가게 된다. 부족한 음경피부를 고려하여 피부근막 고정을 위로 올려서 음경의 중간부위에서 한다면 음경피부는 적게 모자라겠지만 음경의 크기가 작게 된다. 따라서 모식도대로 피부근막 고정을 하였다면 포경수술 때 제거하는 음경의 귀두내피를 최대한 살려서 빨간색의 모자란 피부 부위를 덮을 때 용이하게 사용할 수 있다.

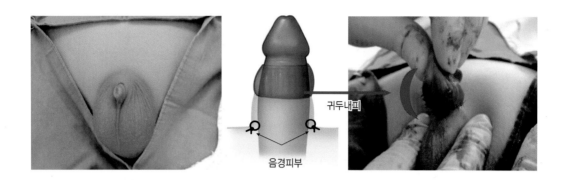

귀두내피

음경피부

그림 10 숨은음경에서 음경피부가 거의 없는 경우의 음경성형술 전후 사진. 수술 후 음경의 피부는 전혀 보이지 않고 포경수술 때 잘라버리는 귀두포피의 내피를 내려서 음경을 덮는 데 모두 사용하였다.

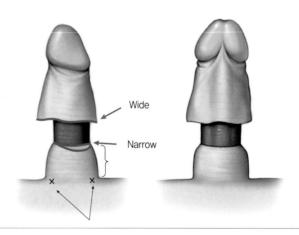

Wide

Narrow

그림 11 근막피부고정 후 피부봉합 하기 전 음경모습. 협착을 완전히 절제하지 않았다면 음경뿌리쪽 피부는 좁게 형성되고 귀두쪽 남은 포피(inner skin)는 넓게 형성된다. 이는 이중절개(double slit) 포경수술 때도 흔히 발생하는 문제로 보라색 두 부위를 바로 봉합하기에는 무리가 따른다.

뒤집어 정확히 고정을 해야 할 지점이 노출되도록 한다(그림 7B). 봉합 후 피부 밖으로 봉합사가 나왔는지 확인하고 봉합사를 당겨 오목(dimple)이 생기는지 확인하면 된다(그림 7C). 그리고 나서 음경근막을 봉합한 후 봉합사를 묶는데 이 때 주변의 얇은 근막이나 지방 등 다른 조직이 피부와 음경근막 사이에 끼지 않도록 조심해야 한다.

일반적으로 피부 및 음경근막을 꿰맬 때는 피부를 견인기(retractor)로 당겨 젖혀서 꿰매면 된다(그림 8).

4) 음경피부 봉합

속이 단단하게 고정되었다면 마지막으로 남은 음경피부를 가지고 좋은 음경모양을 만들어 주어야 한다. 숨은음경은 피부가 부족해 처음부터 최대한 피부를 자르지 않고 아껴 놓아야 하므로 저자는 처음에 절제보다는 6시, 12시에서 절개하는 방법을 선호한다. 숨은음경의 음경성형술이 포경수술과 또 다른 점도 바로 이 점인데, 포경수술을 할 때 일반적으로 제거하는 음경포피의 안쪽 면(preputial inner skin)을 최대한 살려서 음경성형술에서는 음경피부의 모자란 부분을 덮는 데 사용해야 한다. 모식적으로 나타내면 그림 9와 같다. 처음부터 음경피부가 너무 없는 경우 수술을 마치고 나면 귀두내피가 모두 음경을 덮는 경우도 있다(그림 10).

숨은 음경에서 피부를 보존하려다 보면 피부근막고정 후 대부분의 경우 음경의 귀두쪽 피부는 넓게 형성되고 몸쪽 음경 피부는 좁게 형성된다(그림 11). 따라서 이런 경우는 좁은 몸쪽 음경피부는 12시 방향을 절개하여 최대한 협착을 없애야 한다.

협착을 없애지 않으면 나중에 음경 중간이 좁아진 모양이 된다(그림 12). 귀두쪽 피부(귀두내피)는 6시 배부쪽 피부를 봉합하여 길이를 늘린다(그림 13). 이 때 피부가 충분하면 이 부분을 적절히 절제를 하고 봉합하기로 한다. 12시 피부가 충분하면 12시 귀두내피를 절개하면 12시의

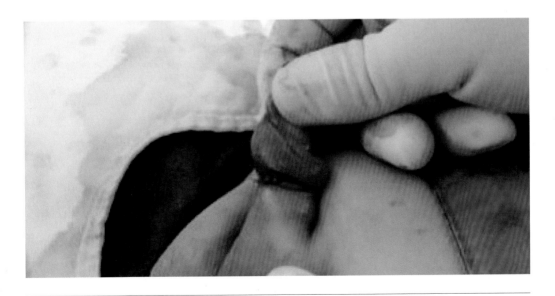

그림 12 귀두포피 협착을 다 제거하지 않고 피부 봉합 후 좁아진 음경 중부. 원래 음경피부는 음경의 중간에 위치하면서 나머지는 귀두포피의 내피를 덮었다. 이럴 경우 회복하는 과정에서 귀두포피 내피의 부종은 더 오래 지속될 수 있다.

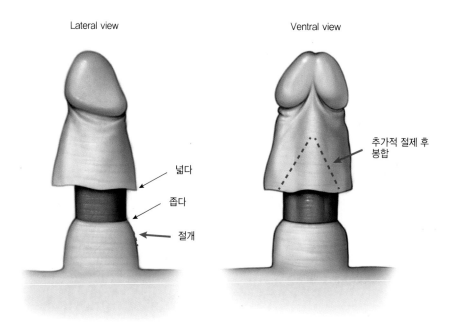

Lateral view   Ventral view

넓다

좁다

절개

추가적 절제 후 봉합

그림 13 피부 봉합 전 그림 11에서 음경뿌리 쪽 음경피부의 좁은 부위(그림 11 아래쪽 보라색)는 12시 방향에 종으로 절개 (왼쪽 빨간색)를 더하여 협착을 완전히 없애고, 귀두 쪽 피부(귀두포피의 내피)는 6시 배부에 부가적으로 봉합을 하면(우측 빨간색) 전체적으로 긴 피부 둘레(그림 11 위쪽 보라색)가 좁아지고 길이는 더 길어진다. 12시에서도 이렇게 하면 추가적으로 긴 둘레를 아래와 비슷하게 맞출 수 있다(그림 14). 이 때 피부가 남는다면 우측의 빨간색 점선을 따라 피부를 절제하고 봉합하면 된다. 이렇게 합을 맞추고 나면 12시 6시를 맞추어 꿰맨 후 포경수술처럼 봉합하면 수술이 마무리된다.

피부를 6시 배부쪽으로 옮겨지는 효과가 있다. 12시 피부가 모자란다면 6시 배부 봉합처럼 12 시 피부도 모아서 봉합하면 된다(그림 14). 이 때 피부가 남는다면 우측의 빨간색 점섬으로 피부를 잘라내고 봉합을 하면 된다.

5) 드레싱(Dressing)

수술 후 드레싱은 제2의 수술이라고 표 현할 정도로 중요한 과정이다. 드레싱 방법 에 대한 지침은 없어 술자마다 선호하는 방 법을 사용하고 있다. 듀오덤(인공피부, Duo-

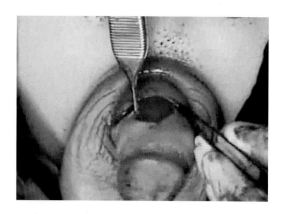

그림 14 12시 부위 음경피부를 덮기 위하여 귀두포피의 내 피를 이용하여 길이를 연장하고 있다.

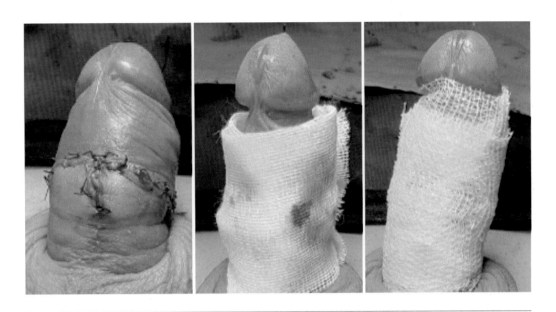

그림 15 음경성형술 후 페하프트 드레싱한 모습

DERM)이나 테가덤(비닐밴드, Tegaderm)을 사용하여 밀봉하기도 하지만 저자는 팔다리를 감쌀
때 사용하는 페하프트(pehaft)를 적절한 압력으로 2일간 감았다가 제거한다(그림 15).

6. 합병증

　　전체 합병증의 발생 빈도는 낮으며 가장 흔한 합병증은 귀두포피의 내피에서 발생하는 부종
이다(그림 16). 부종이 길게는 2달까지 지속되기도 한다. 다음으로 흔한 합병증은 창상이 벌어지
는 것이다. 포경수술의 봉합선이 음경뿌리로 이동(그림 17A)하면서 노출되지 않아서 발생하기도
하지만 대부분은 심한 부종이 원인이 된다.

　　6시 쪽에서 피부가 3-4군데에서 모여서 봉합되고 이 부위가 발기될 때 속옷과 마찰되므로
흔히 벌어진다(그림 17B). 상처 소독을 하면서 경과를 관찰하면 대부분 2주 내에 저절로 아문다.
제일 부담되는 합병증은 아마도 재발일 것이다. 앞서 설명하였듯이 재발까지는 아니고 닫힌음
경이 될 수 있는데 이때에도 먼저 스테로이드 연고를 도포하면서 경과를 관찰하면 호전될 수도
있다.

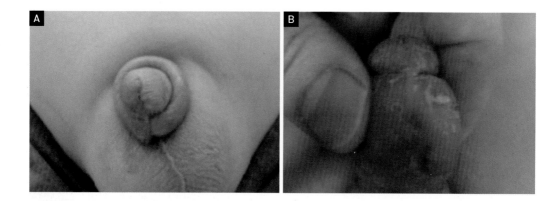

그림 16 음경성형술 후 음경피부의 부종. 수술 후 5일째 (A)와 6주째(B) 부종

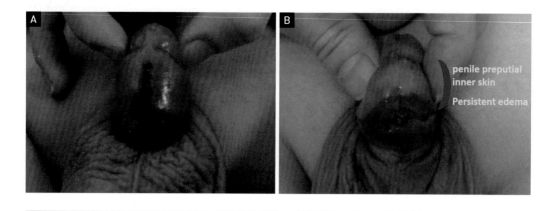

그림 17 음경성형술의 피부 봉합선이 음경피부가 작아서 음경안쪽으로 내려가서 A: 상처치유가 지연될 수 있고 오랫동안 부기로 피부봉합선이 벌어질 수 있다.

7. 결론

숨은음경/매몰음경을 교정하는 음경성형술은 술기가 비교적 쉬우면서도 환자나 환자 보호자의 만족도가 높은 수술이다. 정확한 진단으로 수술 후 음경의 모습 및 합병증을 예측하여 보호자에게 미리 설명을 한다면 수술 후 만족도를 더욱 높일 수 있다. 병원의 사정으로 전신마취를 할 수 없다면 국소마취에 맞게 쉽고 빠른 자기만의 수술방법을 개발하는 것이 중요하다. 전신마취가 가능한 수련병원의 경우에서도 전공의 수련을 위해 국소마취 상황에 준해 최대한 쉽고 빠른 수술 술기를 개발하는 것이 중요하다고 생각한다. 요즘 소아 환자에서는 게임이나 TV

같은 시청각자료를 이용하여 국소마취를 좀 더 안전하고 효과적으로 시행할 수 있다. 수술을 잘 시행하였다면 역시 자기만의 드레싱 방법을 개발한다면 수술 후 부종이나 창상이 벌어지는 합병증을 줄일 수 있을 것으로 생각한다.

참고문헌 ···

• Keyes EL Jr. Phimosis, paraphimosis, tumors of the penis. In: Urology, editor, New York: Appleton;1919;649.

• Crawford BS. Buried penis. Brit J Plast Surg 1977;30:96-9.

• Maizels M, Zaontz M, Donovan J, Bushnick PN, Firlit CF. Surgical correction of the buried pneis: description of a classification system and a technique to correct the disorder. J Urol 1986;136:268-71.

• Oh CY, lee H, Hong CH, Han S. Long-term outcome and parents' satisfaction after the correction of concealed penis. Korean J Pediatr Urol 2009;1:58-63.

• Cromie WJ, Ritchey ML, Smith RC, Zagaja GP. Anatomical alignment for the correction of buried penis. J Urol 1998;160:1482-4.

• Lee T, Suh HJ, Han JU. Correction congenital concealed penis: new pediatric surgical technique. Urology 2005;65:789-92.

• Jung EH, Son JH, Jang SH, Lee JW. Simple anchoring of the penopubic skin to the prepubic deep fascia in surgical correction of buried penis. Korean J Urol 2011;52:787-91.

• Frenkl TL, Agarwal S, Caldamone AA. Results of a simplified technique for buried penis repair. J Urol 2004;171:826-8.

• Sugita Y, Ueoka K, Tagkagi S, Hisamatsu E, Yoshino K, Tanikaze S. A new technique of concealed penis repair. J Urol 2009;182:1751-4.

• Cho YW. Concealed penis. Korean J Pediatr Urol 2009;1:87-93.

음경 수술

PART

07

PENILE SURGERY

조루수술

개요

개요

문경현 · 울산의대

　조루증은 성관계 시 만족감을 느끼기 전에 사정하는, 또는 의지대로 사정을 조절하기 힘든 상태를 말한다. 국제 성의학회에서는 원발성조루증은 질내 삽입 후 1분 이내에 항상 또는 거의 항상 사정이 일어나고, 질내 삽입 시 대부분의 경우 사정을 지연시킬 수 없으며, 이로 인해 고통, 괴로움, 좌절, 성적 친밀감의 회피와 같은 부정적인 영향을 일으키는 상태로 정의하였다. 또한 후천적조루증을 임상적으로 사정지연시간이 심하게 감소되고 지연시간이 대부분 3분 이하인 경우로 정의하였다. 조루증은 일반 성인 남성의 20-30%가 호소할 만큼 남성 성기능장애의 흔한 질환이나, 아직 공인된 객관적인 진단 기준이 없어 표준화된 환자의 진단 및 치료에 어려움이 있다. 조루증의 치료로는 심리 및 행동치료, 선택적 세로토닌재흡수억제제(selective serotonine reuptake inhibitors, SSRI), PDE5 억제제, 아편유사진통제 계통인 트라마돌(tramadol), 국소마취제 등 다양한 방법이 고려될 수 있다. 조루증에 대한 치료제로 승인된 다폭세틴(dapoxetine)은 작용시간이 빠르고 부작용도 적어 효과적이고 안전한 약물로의 가능성을 보여주고 있다.

　이상적인 경구용 약물이 개발되기 전까지는 기존의 경구 및 국소 약제들과 심리 및 행동치료 병행요법이 지속적으로 시도될 수 있다. 하지만 아직 많은 환자들이 결정적인 치료 방법 부족으로 여전히 조루증으로 많은 고통을 받고 있으며 많은 의사들이 현재의 진료 지침에 만족하지 않기 때문에 기존의 진단 및 치료에 대해 모두 한계를 인식하고 새로운 치료법의 출현을 갈망하고 있다. 이에 일부 국가에서 기존의 치료에 반응하지 않는 환자들을 대상으로 조루증에 대한 수술적 치료가 시행되고 있다. 수술적 치료는 근거가 부족하고 성기능의 영구적 상실과 같은 부작용 가능성으로 아직 공식적으로 권장되고 있지는 않다. 하지만 흥미롭게도 다폭세틴 개발 이후에 선택적 배부신경절제술, 히알루론산겔 주사를 통한 귀두확대술 등의 수술적 치료 빈도가 아시아 국가에서 지속적으로 증가하고 있다. 심리 및 행동치료, 경구용 및 국소 약물치료 등 기존의 치료에 반응하지 않는 환자들을 대상으로 음경 및 귀두의 감각을 담당하는 배부신경의 과민으로 조루증이 발생한다는 전제하에 음경에서 중추로 향하는 감각신호를 줄여 사정시간 지연을 기대할 수 있는 선택적 배부신경절제술이 수술적 치료법으로 처음 제안이 되었다. 수술 후에 통증, 이상감각, 발기력 저하 등의 부작용이 발생할 수 있으며, 시간이 경과하면서 사정시간이 다시 빨라지는 경우도 발생할 수 있어 이에 대한 수술 전 설명이 필요하다. 특히 수술 전 선택적 배부신경절제술 후 영구적 감각 손상 및 이로 인한 성기능 상실 가능성에 대한 충분한 설명 및 고려가 반드시 이루어져야 한다. 이러한 영구적 감각 손상 가능성을 피하고자 상대적으로 덜 침습적인 히알루론산겔 주사를 통한 귀두확대술이 제안되었다. 히알루론산겔 주사를 통한 귀두확대술은 비교적 안전하고 효과적인 치료법일 수 있지만 아직 장기 추적 결과가 없어 이에 대한 추가적 연구 결과가 필요하다. 본 장에서는 조루증의 대표적 수술적 치료법인 선택적 배부신경절제술, 히알루론산겔 주사를 통한 귀두확대술 등의 필러 주입술에 대해 자세히 알아보고자 한다.

참고문헌

• Lee SW, Lee JH, Sung HH, et al. The prevalence of premature ejaculation and its clinical characteristics in Korean men according to different definitions. Int J Impot Res 2013;25:12-7.

• Xin ZC, Chung WS, Choi YD, et al. Penile sensitivity in patients with primary premature ejaculation. J Urol 1996;156:979-81.

• Tullii RE, Guillaux CH, Vaccari R, et al. Premature ejaculation-selective neurectomy: a new therapeutic

• technique-base, indications and results. Int J Impot Res 1994;6:109-13.

• Kim JJ, Kwak TI, Jeon BG, et al. Effects of glans penis augmentation using hyaluronic acid gel for premature ejaculation. Int J Impot Res 2004;16:547-51.

CHAPTER

01

신경차단술

선택적 배부신경절제술

장수연 · 엘제이비뇨기과

과민성 조루증에서 선택적 배부신경절제술(selective dorsal neurectomy of penis)의 치료 근거

1. 과민성 조루증에서 감각 둔화가 조루증에 미치는 영향

조루증의 원인은 생물학적인 것과 정신적인 것들이 있다. 생물학적인 것 중에 음경의 과민성, 과흥분성 사정반사, 증가된 성욕구, 내분비계의 이상, 유전적 원인, 중추 5 hydroxy-tryptamin 수용체 기능장애 등이 있다. 이 중 음경의 과민성이 원인일 경우 실제로 진동 감각 역치가 조루증 환자에서는 의미 있게 낮은 것으로 보고된다. 조루증 환자들은 음경과 귀두의 촉각적인 성적 자극에 비정상적인 과민반응을 나타내어 이 때문에 조루증상이 나타난다고 보고되고 있다. 이러한 내용은 조루증 환자에서 음경과 귀두가 과도하게 예민한 경우 수술적인 방법으로 감각을 둔화시켜 조루증을 완화시키는 치료의 근거가 된다.

Dixson 등은 음경이 과민한 경우에 선택적 배부신경절제술을 시행하여 사정시간이 유의하게 연장되는 것을 확인하였다.

물론 음경의 감각이 예민한 경우라고 하더라도 조루증과 관련성이 별로 없다고 주장하는 보고도 있지만 실제 국소마취제를 이용하여 음경과 귀두 감각을 둔하게 하였을 때 사정시간이 연장된다는 보고가 있어 과민성 음경을 둔하게 하는 것이 치료에 도움이 된다는 것을 간접적으로 입증해 준다.

2. 과민성 조루증의 치료에 대한 각종 보고들

실제 유럽비뇨기학회(European Association of Urology, EAU)에서는 과민성 음경이 있는 조루증 환자에서 국소마취제 사용을 권장하고 있는데 이것은 조루증 환자에서 사용했을 때 사정 시간이 유의하게 길어지는 것을 근거로 제시하고 있다.

하지만 과민성 조루증이라고 하더라도 과도하게 둔하게 하는 것은 중추에서 생겨나는 성적인 욕구를 줄일 수 있어 선택적 배부신경절제술은 제한적으로 시행되어야 한다고 일부에서는 주장한다.

최 등은 허브와 동물에서 추출한 자연물질로 만든 감각둔화 효과가 있는 SS 크림을 153명에게 적용한 결과 SS크림의 적용 용량에 따라 귀두의 감각 역치가 증가하는 것을 보고하였다.

G-X Zhang 등은 기존의 국소마취제, 삼환계항우울제, 세로토닌재흡수억제제 등이 조루증 치료에 효과를 나타낼 수 있지만, 매번 약을 복용하거나 국소 도포를 해주어야 하는 번거로움, 약을 끊었을 때 발생하는 높은 재발률과 높은 치료 비용 등의 단점에 비해 수술적 조루 치료법이 오랜 기간 동안 치료 효과가 유지되는 효과적인 치료방법이 될 수 있음을 보고하였다. 국제성의학학회(International Society for Sexual Medicine, ISSM), 유럽비뇨기학회, 미국비뇨기학회(American Urological Association, AUA) 조루치료의 가이드라인에서 일반적으로 행동치료와 경구 및 국소 약물치료를 권장하고 있다. 하지만 실제로는 임상에서 많은 배부신경차단술을 비롯하여 과민성 음경을 가진 조루증 환자에서 감각을 둔화시키는 여러 가지 수술이 적지 않게 시행되고 있다.

3. 국내와 중국의 선택적 배부신경절제술

특히 선택적 배부신경절제술은 중국이나 한국과 같은 아시아국가에서 많이 시행되고 있는데 특히 중국에서는 2016년 남성과학 전문가 모임에서 선택적 배부신경절제술이 효과적인 조루 치료법이 될 수 있다는 합의를 이루어냈다.

한국에서도 지속적으로 선택적 배부신경절제술이 시행되어 왔는데 한 보고에 의하면 143명의 과민성 음경을 가진 조루증 환자에서 선택적 배부신경절제술을 시행하였으며, 이 중 81.8%에서 유의한 사정시간 연장을 보고하였다. 또한 다른 연구에서는 선택적 배부신경절제술을 시행받은 환자에서 질내사정지연시간(Intravaginal ejaculation latency time, IELT)가 3배 증가하였고 진동 감각의 역치가 두 배 감소하였음을 보고하였다. 2012년 한국성의학남성과학회(Korean Society for Sexual Medicine and Andrology, KSSMA)는 전국의 527명의 비뇨의학과 전문의를 대상으로 조루증 치료에 대한 설문을 실시하였다. 이 결과 선택적 배부신경절제술은 국내 비뇨의학과 의원에서 가장 빈번하게 시행되는 조루증 수술적 치료법이라고 응답했다. 실제 수술을 시행한 대상은 음경이 예민한 남성이나 국소마취제에 사정시간 지연 효과가 있었던 경우였으며 수술 받은 환자의 56%에서 사정시간 지연으로 인한 성적 만족감을 나타내었다. 반면 10% 정도에서 재발을 나타내었고, 4% 정도에서 귀두 통증이나 이상감각, 0.4% 정도에서 발기부전을 호소하였다.

4. 과민성 조루증의 진단방법

음경 과민성이 의심되는 경우 진동감각측정기(biothesiometry)를 이용하여 음경 감각의 역치를 측정할 수 있다. 이 방법은 이전에 보고된 문헌들을 볼 때 음경 감각의 역치를 측정하는 데 있어서 신뢰성 있는 방법으로 기술되고 있다. 진동감각 측정기는 100Hz의 주파수로 다양한 진동감각의 크기를 조절하여 검사할 수 있다. 진동 감각의 출력을 0으로 놓고 시작하여 감각을 점차적으로 올려 환자가 느끼는 최소감각을 측정한다. 이후 반대로 진동 출력을 약하게 내리면서 감각을 느끼지 못하는 시점의 출력을 측정하여 음경 감각의 최소 역치를 알 수 있다.

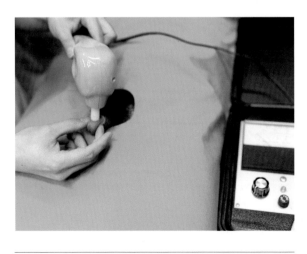

그림 1 음경 진동감각측정기(Biothesiometry)로 감각 측정하는 모습

5. 적응증

선택적 배부신경절제술의 적응증으로는 경구용 조루치료제에 효과를 보지 못하거나 부작용으로 인해 복용할 수 없는 경우, 경구용 조루치료제의 복용을 원치 않는 경우, 여러 가

지 모든 조루증 치료에 효과를 보지 못한 경우와 국소마취제에 사정시간이 지연되는 경우(상대적 적응증) 등이 있다.

1) 선택적 배부신경절제술의 적응증에 관한 보고들

국소마취제(topical anesthetics) 사용 시 효과를 나타내는 경우

- 성관계 전 최소한 15분 이전에 국소마취제 리도카인을 함유한 콘돔을 이용하고 관계한 경우 3-5번 정도 성관계를 했을 때 사정지연 효과가 있었던 경우

더욱더 수술적인 치료가 필요할 수 있는 경우는 lifelong PE로 질내 삽입을 한 후 항상 또는 거의 항상 1분 이내에 사정을 하는 경우이다. 심한 조루증은 자신감을 떨어뜨리고 파트너와의 관계를 나쁘게 만들며 심한 스트레스와 불안 그리고 황당함 및 우울증을 유발한다. 이러한 경우 수술적인 치료가 더욱더 필요할 수 있다.

6. 선택적 배부신경절제술의 수술방법

1) 수술 과정

① 1% 리도카인 국소마취제를 음경 근위부에 주입하여 음경신경을 마취한다.

② 포경수술을 하지 않고 피부의 여유가 많은 경우에는 포경수술을 동시에 시행할지 여부에 따라서 환상절개를 하거나 12시 부위를 중심으로 2-3cm 전후의 길이로 절개를 한다. 만약 과거에 포경수술을 받은 경우라면 예전 포경수술 봉합선을 따라 부분절개를 한다.

③ 근막을 절개하고 배부신경을 박리하여 분리한다. 분리된 배부신경은 백막의 표면으로부터 들어올려 분리한다.

④ 배부신경을 약 1cm 정도 길이로 잘라내고 신경의 절단면을 전기소작 처리한다.

⑤ 근막을 다시 재봉합 해주고 흡수성 또는 비흡수성 봉합사로 피부봉합을 시행한다.

2) 배부신경을 얼마나 어떻게 절제할 것인가?

조루증 치료효과를 보기 위해서 배부신경 절제를 해주게 되는데 만약 지나치게 많은 배부신

A

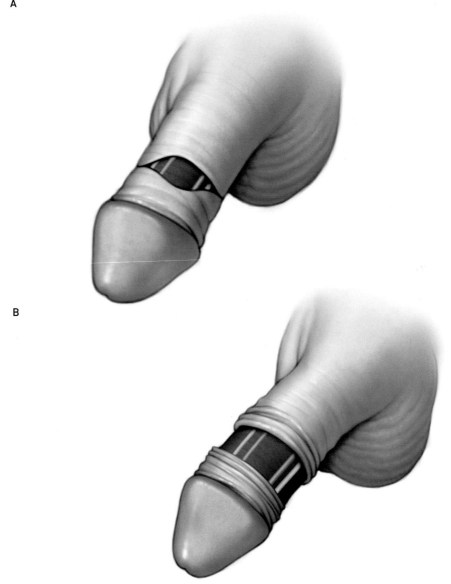

B

그림 2 선택적 배부신경절제술 피부절개 방법. A: 과거 포경수술을 받은 경우, B: 포경수술을 받지 않은 경우

경을 절제할 경우 감각의 소실과 발기부전을 유발할지도 모른다. 배부신경을 절제하는 신경의 숫자와 방법은 시술자에 따라 차이가 있고 아직 정확하게 합의가 이루어진 부분이 없다.

Qiun Liu 등은 배부신경의 직경에 따라 분류하고 절제를 하였다. 직경이 2mm 이상인 배부

그림 3 근막을 절개하고 배부신경을 박리하여 5-0 black silk로 결찰해 놓은 모습

신경과 직경이 1mm 이하인 배부신경만 절제를 하였고 1-2mm인 배부신경은 보존하였다. 최종적으로 11-1시 위치, 1-5시 위치, 7-11시 위치에 각각 1-2mm 직경의 배부신경을 1-2개 정도 남겨놓았다.

　G-X Zhang 등은 깊은 근막층을 절개한 후 배부신경을 분리하고 약 50% 정도의 배부신경을 절제하였다. Shi 등은 3-10개의 가지를 절제하였고 단 두 개의 배부신경만을 남겨 놓았다.

3) 수술 방법에 관한 정리

　여러 보고들을 종합해 보면 공통적으로 근막층을 절개한 후 배부신경을 분리하여 일정한 길이로 배부신경을 절제한다. 이때 배부신경을 몇 개 절제하고 몇 개를 남겨둘 것인지 또한 어느 정도 두께와 어느 위치의 신경을 절제하고 보존할 것인지에 대해 아직 구체적으로 정해진 것

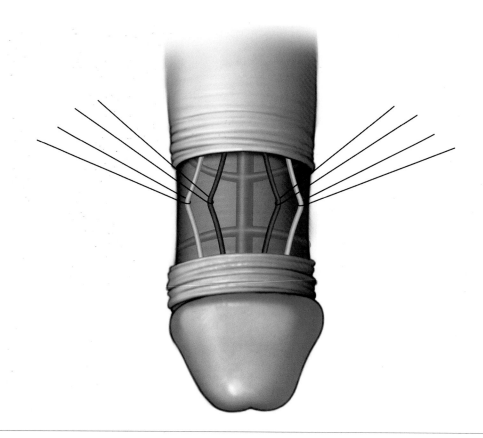

그림 4 근막을 절개하고 배부신경을 박리하여 분리하여 배부신경 절제를 하기 직전의 모습

이 없다. 현재까지의 보고들을 보면 한국에서는 좀 더 보수적으로 배부신경을 절제하고 중국에서는 보다 많은 수의 배부신경을 절제하는 경향이 있다. 향후 이 부분에 대한 추가적인 토론과 표준화가 필요할 것으로 보인다.

4) 수술 효과에 관한 평가

(1) 수술 효과에 관한 보고들

Quin 등이 보고한 바에 따르면 수술 후 24개월까지 추적 관찰한 결과 PEDT 점수 감소 및 IELT가 유의하게 향상되었고 발기력은 수술 전후 별다른 차이를 보이지 않았다. 또한 Zhang 등은 선택적 배부신경절제술을 시행한 후 측정한 IELT에서 유의하게 사정시간이 연장되었으며 성생활 만족도 또한 선택적 배부신경절제술 후 유의하게 향상되었다. 결국 선택적 배부신경

그림 5 배부신경절제술로 잘라낸 배부신경

절제술은 안전하면서도 효과적인 조루 치료법이라고 보고하였다.

5) 부작용

부작용으로는 귀두의 이상감각, 귀두의 통증, 음경 부종, 상처 벌어짐, 지루증, 발기부전 등이 발생할 수 있다.

6) 배부신경절제술의 미래와 임상 적용

현재까지 AUA와 EAU 조루 치료 가이드라인에서는 베부신경절제술이 발기부전과 성감소실과 같은 부작용에 대한 우려 때문에 치료법으로 인정받지 못하고 있는 것이 사실이다. 하지만 약물치료에 효과를 보지 못하거나 약물치료의 부작용으로 복용이 어려운 경우 또는 약물치료를 원치 않는 조루증 환자들에서는 수술적인 치료가 하나의 옵션이 될 수 있다.

실제 한국의 비뇨의학과 전문의들을 대상으로 한 대규모 설문조사에 의하면 전문의들이 볼 때 선택적 배부신경절제술에서 우려되고 있는 부작용은 실제 크지 않고 조루증 치료에 효과적이라는 결과를 보인다. 또한 중국에서는 이미 조루증 치료법의 가이드 라인으로 선택적 배부신경절제술이 어느 정도 인종되고 있는 것이 사실이다.

EAU 가이드라인에서도 국소마취제를 이용한 과민성 조루증의 치료를 권장하고 있기에 향후 배부신경 절제술을 포함한 수술적인 조루 치료는 감각 둔화의 정도에 대한 표준화 그리고 수술방법의 정립을 통해 유용한 조루 치료법의 하나가 될 가능성이 있다고 하겠다.

참고문헌

• Dixson, A.F. Effects of dorsal penile nerve transection upon the sexual behaviour of the male marmoset (Callithrix jacchus). Physiol Behav. 1988; 43: 235-238

• Wyllie, M.G. and Hellstrom, W.J. The link between penile hypersensitivity and premature ejaculation. BJU Int. 2011; 107: 452-457

• Xin, Z.C., Chung, W.S., Choi, Y.D. et al. Penile sensitivity in patients with primary premature ejaculation. J Urol. 1996; 156: 979-981

• Althof, S.E., McMahon, C.G., Waldinger, M.D. et al. An update of the International Society of Sexual Medicine's guidelines for the diagnosis and treatment of premature ejaculation (PE). Sex Med-UK. 2014; 2: 60-90

• Xia, J.D., Zhou, L.H., Han, Y.F. et al. A reassessment of penile sensory pathways and effects of prilocaine-lidocaine cream in primary premature ejaculation. Int J Im pot Res. 2014; 26: 186-190

• Breda, G., Xausa, D., Giunta, A. et al. Nomogram for penile biothesiometry. Eur Urol. 1991; 20: 67-69

• Zhang, C., Li, X., Yuan, T. et al. Regional anatomy of the dorsal penile nerve and its clinical significance. Zhonghua nan ke xue. 2009; 2: 130-133

• Zhang GX, Yu LP, Bai WJ, Wang XF. Selective resection of dorsal nerves of penis for premature ejaculation. Int J Androl. 2012; 35:873-879.

• Kim JJ, Kwak TI, Jeon BG, et al. Effects of glans penis augmentation using hyaluronic acid gel for premature ejaculation. Int J Impot Res 2004; 16:547–51.

• Xinghua, L., Shaobin, Z., and Chunying, Z. A modified dorsal penile neurectomy for treatment of primary premature ejaculation. Chinese J Androl. 2011; 3: 25–27

• You, H.S. The partial neurectomy of the dorsal nerve of the penis for patient with premature ejaculation. ([in Korean]) Korean J Androl. 2000; 18: 143–148

• Choi HK, Jung GW, Moon KH, Xin ZC, Choi YD, Lee WH, et al. Clinical study of SS–cream in patients with lifelong premature ejaculation. Urology. 2000; 55:257–261.

• Yang, D.Y., Ko, K., Lee, W.K. et al. Urologist's practice patterns including surgical treatment in the management of premature ejaculation: A Korean nationwide survey. World J Mens Health. 2013; 31: 226

• Du, G.M. Is there a place for surgical treatment of premature ejaculation? Translat Androl Urol. 2016; 5: 502–507

• Zhang, C., Li, X., Yuan, T. et al. Regional anatomy of the dorsal penile nerve and its clinical significance. Zhonghua nan ke xue. 2009; 2: 130–133

• Shi, W.G., Wang, X.J., Liang, X.Q. et al. [Selective resection of the branches of the two dorsal penile nerves for primary premature ejaculation]. Zhonghua Nan Ke Xue. 2008; 14: 436–438

CHAPTER

02

필러 주입술

곽태일 · 드림온비뇨기과

1. 귀두 확대의 필요성

커다란 음경은 모든 남성의 공통적인 욕망으로 인류의생활과 문화에도 잘 나타나 있다.

음경확대수술은 다양한 종류의 재료의 이물질을 음경에 주입하거나 인체조직을 이용한 음경확대수술로 이어져 왔으며, 부적절한 재료나 불법적인 시술로 인한 합병증도 종종 발생하고 있다. 그러나 음경확대술이 외성기 기형의 교정이라는 목적과 커다란 음경에 대한 남성의 욕망을 해결해 줄 수 있다는 측면에서는 남성과학의 한 분야로서 정립되어야 하며, 귀두확대술도 비뇨기과 의사에게는 필요한 술식의 하나로 생각된다.

귀두확대술이 필요한 이유는 첫째, 발기 시 귀두크기가 작아서 고민하는 환자들도 종종 볼 수 있을 뿐만 아니라, 왜소음경이나 음경재건술 시 귀두의 확대도 필요하기 때문이다. 둘째, 기존의 음경확대수술은 음경체부에 국한되므로 상대적으로 귀두의 크기가 작아지는 인위적인 기형을 초래한다.

현재 시술되고 있는 음경확대수술은 주로 음경의 둘레나 발기 전의 길이를 늘이지만 귀두의 해부학적인 특성상 귀두확대에 대한 안전하고 효과적인 술식은 확립되지 않았다. 이는 귀두의 해부학적 구조가 이물질을 주입하기 어려울 뿐만 아니라, 귀두확대에 적합한 물질이 없었기 때문이기도 하다. 히알루론산을 이용한 연부조직증강은 오랜기간 안면주름제거나 구순증강과 같은 안면미용성형이나 조직재건이 필요한 다양한 종류의 술식에서 이용되고 있으며 그 효과와 부작용은 이미 밝혀져 있다.

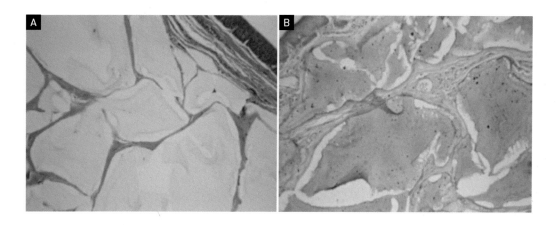

그림 1 A. At 3 months after hyaluronic acid gel injection into the dermis of the glans penis in the rabbits. Various cavities contain alcian-blue positively stained hyaluronic acid gel: 200, B. At 3 months after hyaluronic acid gel injection into the dermis of the glans penis in the rabbits. Alcian-blue stain after treatment of hyaluronidase reveals the digestion of hyaluronic acid gel in the penis of rabbits: 200.

　　저자들은 귀두에서 개모델 실험으로 안정성을 검증하였다. 6개월째 시행한 조직학적 검사상 매끈한 청색의 물질이 들어 있는 다양한 크기의 강이 점막고유층과 해면체에 걸쳐서 관찰되었고, Alcian blue 염색상 주사제는 전례에서 잔존하였으며 6개월이 경과하였음에도 불구하고 염색의 정도는 짙게 나타났다. 염증반응은 총 14례 중 1회 주사군 1례와 2회 주사군 3례에서 관찰되었으나 반응의 정도는 1등급으로 경미하였으며, 이물반응과 섬유화는 전례에서 관찰되지 않았다. 주사제는 전례에서 잔존하였으며, 간과 폐는 정상으로 전신부작용은 없었다. 이것은 주입된 히알루론산이 안전하고 의미있는 정도로 남아 있음을 증명하였다.

2. 히알루론산겔의 조건

　　안전하고 효과적인 주사용 연부조직 강화제가 갖추어야 하는 특성은 생체적합성이 우수하고, 항원성이 없어야 하며, 이동성이 없고, 결국에는 조직 내에서 흡수되어야 하지만 흡수속도가 느려서 장기간 흡수되지 않고 지속성이 있어야 하며, 사용하기가 쉽고 수술 후 외관이 우수하여야 한다. 연부조직을 강화하기 위하여 파라핀, 실리콘, 콜라겐 등의 다양한 물질이 이용되어 왔으나 파라핀과 실리콘은 심각한 정도의 이물반응을 유발하고 주사부위로부터 이동한다.

　　히알루론산은 다양한 종류의 세포의 세포막에서 형성되는 다당류로 모든 종에서 동일한 화

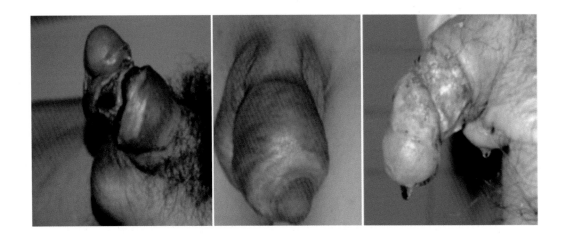

그림 2 Suspected use of other materials

학적 분자학적 구조를 지니고 있으므로 항원성이 없고 생체적합성이 우수하며, 동물에서 추출하여 인체에 사용하여도 이물반응이 일어나지 않는다. 히알루론산은 피부진피층에서 세포 간의 기질에 존재하는데, 물리적 특성이 유연하므로 세포외 공간을 채워 구조물을 안정시키고 세포를 보호어야한다. 히알루론산은 lycosaminoglycan biopolymer로 기질은 viscoelastic인 반면에 물과 결합하는 성질이 매우 강하여 99% 이상의 수분을 함유하고 있어 높은 점성을 유지한다. 이로 인해 세포와 히알루론산 간의 물질의 확산이 가능하므로 섬유화 단백질이나 막단백질과 같은 세포 간 구조물의 안정성을 유지한다.

따라서, 나이가 들어감에 따라 피부에 있는 히알루론산의 양은 감소하고 이로 인해 수분도 감소하므로 피부의 주름은 증가하게 된다. 이외에도 히알루론산은 세포운동과 기능을 조절하여 조직의 발달이나 재건에도 중요한 역할을 한다.

체내에 주입된 히알루론산 겔은 일부 분해가 되지만 체내에 존재하는 히알루론산과 결합하여 이동하지 않으며, 콜라겐과 결합하거나 콜라겐을 형성하는 섬유아세포나 다른 세포들을 모이게 함으로써 내인성의 부드러운 섬유화 조직을 형성하여 조직보강효과를 발휘한다. 히알루론산은 인체피하조직에 주입시에는 보습기능과 충격흡수 및 피부탄력을 증가시키므로, 수술재료나 이식물질로서 관절보강, 창상치유, 조직 재생 및 약물흡수에 응용되고 있으며, 안면기형이나 안면피부결손, 노화로 인한 안면 성형에서 이미 널리 쓰이고 있다.

3. 귀두의 해부학적 특성

히알루론산 겔을 음경귀두확대에 이용하기 위해서는 직면하는 문제는 귀두의 조직학적 특성 상 귀두피하의 진피층에 히알루론산의 주입이 가능한지와 주입 후 장기생존률이 문제가 된다.

기존의 음경확대수술 시 귀두확대술을 동시에 시행해본 연구의 결과, 히알루론산겔은 귀두 피하의 고유층에 간단하게 주입할 수 있으며, 전신부작용 없이 주사 후 3-6개월째에는 초기용 적의 90%를 유지하여 우수한 장기생존율을 보였다. 이상으로 주사용 히알루론산겔은 귀두확 대에 사용할 수 있는 효과적이고 안전한 연부조직 보강제로 생각된다. 히알루론산 겔은 이식 후 6개월까지는 우수한 장기생존율을 보였으나 향후 수년에 걸친 장기생존율도 우수했다.

4. 시술방법

음경파라핀종을 완전히 제거한 후 음경 피부가 없어진 음경 부위 전체를 덮을 만한 넓이의 사각형의 음낭피부편을 재단한 후에 피하 조직과 혈관을 보존한채로 박리 절제하여 음낭 이식 편을 만들어 음경 피부가 없어진 음경 부위의 복측으로부터 둘러싸 음경의 배측에서 봉합하 는 방법으로 봉합선이 주로 음경의 배측에 위치하므로 배뇨 시 환자가 창상을 보게되고 음낭피 부 박리시 음낭 부의 주된 혈관인 양측 하외측 외음부 동맥(inferior external pudendal a.)의 음낭 가지(scrotal branch)에 혈관주행이 손상되어 이식조직편이 괴사될 우려성도 있다는 단점이 있다.

① 베타딘으로 귀두와 음경부를 잘 소독한 후에 10% xylocaine으로 30분 정도 국소마취한

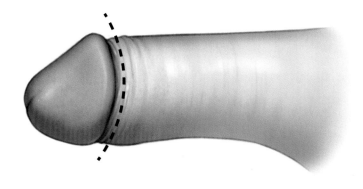

그림 3 국소마취 부위

다. 국소 도포만으로 마취가 안 되는 환자는 1cc 시린지로 2% 리도케인을 귀두에 가까운 음경부에 주사한다(그림 3).

② 귀두피하에 주사용 히알루론산겔을 주입하는데 귀두부가 구형이므로 주사바늘과 귀두 점막이 수평이 된 상태에서 진행한다(그림 4).

그림 4 주입 시 귀두와 바늘의 각도

③ 히알루론산 겔의 주입은 Fan technique을 이용하여 음경귀두의 12시 방향에서 주입을 시작하였고, 방사형으로 바늘을 돌려가면서, 가능한 넓은 영역을 주입하였다. 이때에 고유층의 박리는 주사바늘이 아니라 주입

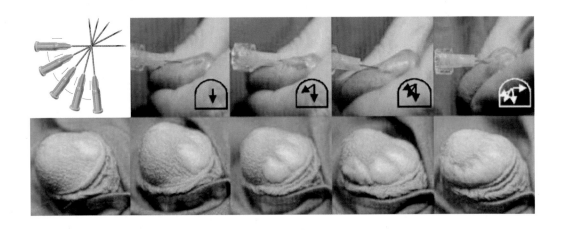

그림 5 Injection needle was indwelled subcutaneously at proximal one-third from tip of glans to coronal sulcus; thereafter hyaluronic acid gel was injected by the Fan technique

그림 6 바늘의 전진 순서

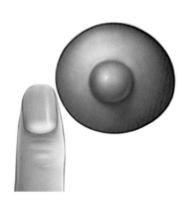

그림 7 특정부위에 과다 팽창했을때에 다른 부위에 주입방법

되는 히알루론산 겔이 확보한 공간으로 바늘이 전진하는 방식을 해야 점막이 손상되어 겔이 유출되는 상황을 방지할 수 있다(그림 6).

④ 주사용 히알루론산 겔을 주입할 때에 동일한 압력으로 진행해야 한다. 만약 주입 압력의 큰 변화로 귀두 점막 중에 한 부분이 더 크게 융기하면 그 부분의 표면장력이 약해져서 추가 주입되는 히알루론산 겔이 더욱 쉽게 융기된 부

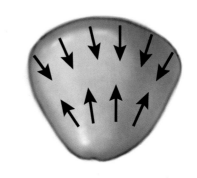

그림 8 Double Fan technique

분에 몰리게 되어서 모양의 변형이 생긴다. 이런 변형이 오지 않게 주의하며 혹시 발생하면 융기된 부분을 손가락으로 적당한 압력으로 준 상태에서 다른 부분에 주입한다(그림 7).

⑤ 술기에 익숙해지면 요도구에서 Coronal sulcus 방향으로 시술한 후에 Coronal sulcus에서 요도구 방향으로 시술하는 Double Fan technique을 사용하면 더 나은 모양을 얻을 수 있다(그림 8).

5. 귀두확대가 조루 개선에 대한 원리

히알루론산 겔을 음경귀두의 점막하에 주입함으로써 귀두확대의 효과와 더불어 음경 귀두의 감각을 저하시킬 수 있었다. 모든 국소감각의 민감도는 감각신경의 분포, 수용체의 수, 수용

체의 자극역치, 자극이 수용체까지 도달할 수 있는 접근성에 의해 결정된다. 주사용 히알루론산 겔을 이용한 귀두확대술이 음경의 국소감각을 저하시키는 기전은 이식물질에 의해 형성된 종물이 귀두에 가해진 자극이 촉각 수용체로의 접근성을 감소시키는 장벽으로 작용하여 음경 귀두의 감각을 저하시킴으로써 조루증에 효과를 나타냈을 것으로 생각한다.

주사용 히알루론산 겔을 이용한 귀두확대술은 시술이 간단하고 비침습적으므로 시술에 의한 합병증이 거의 없으며, 효과 및 만족도 또한 음경배부 신경절제술과 대등하게 나타났다. 저자들도 시술초기에는 주입술기로 인해 약간의 어려움을 겪었으나, 투베르쿨린 과민반응을 위한 피하주사나 연부조직 박리를 위한 피하주사에 숙달된 의사라면 술기로 인한 어려움은 없을 것으로 생각된다. 특히, 귀두점막은 탄성이 있어 쉽게 주입할 수 있다. 초기에는 히알루론산 겔을 과량으로 주입하면, 과도한 감각저하가 발생할 수 있을 것으로 예상했지만 주입량과 부작용을 유발하는 감각저하는 없었다. 음경귀두배부신경절제술의 경우, 음경신경 분지를 너무 적게 절제하거나 과다하게 절제했을 때 추후 보정이 매우 어렵다. 그러나 히알루론산겔 주입술의 경우, 첫 시술 시 과도한 양을 주입하지 말고 소량을 주입하고, 수술 후 감각정도에 따라 간단히 추가 주입하는 것도 가능한 치료방법으로 고려할 수 있다. 추가주입의 시기는 2주 후부터 가능하지만, 저자들의 경험상 술 후 3개월째 환자의 만족도를 평가한 후 시행하는 것이 좋다. 음경확대술은 과거 사술로 취급되었으나 현재에는 국내외의 각종 학술회의나 학술지에 발표되고 인정되는 추세이다. 주사용 히알루론산 겔을 이용한 귀두확대술도 음경의 선천성 기형이나 음경재건, 조루증의 치료 등에 충분히 이용할 만한 가치가 있다. 이를 위해서는 향후 장기적인 효과에 대한 연구가 뒤따라야 할 것으로 생각한다.

6. 결론

본 연구의 결과, 주사용 히알루론산 겔은 인체귀두피하의 고유층에 간단하게 주입할 수 있으며 귀두확대의 효과와 더불어 음경귀두의 감각을 저하시킴으로써 조루증을 호소하는 환자에서 유용한 치료방법이 될 수 있을 것으로 생각한다.

참고문헌 ....

- Olenius M. The first clinical study using a new biodegradable implant for the treatment of lips, wrinkles, and folds. Aesth Plast Surg 1998;22:97−101

- Duranti F, Salti G, Bovani B, Calandra M, Rosati ML. Injectable hyaluronic acid gel for soft tissue augmentation. A clinical and histological study. Dermatol Surg 1998;24:1317−25

- Goa KL, Benfield P. Hyaluronic acid. A review of its pharmacology and use as a surgical aid in ophthalmology, and its therapeutic potential in joint disease and wound healing. Drugs 1994;47:536−66

- Moon DG, Kwak TI, Cho HY, Bae JH, Park HS, Kim JJ. Augmentation of glans penis using injectable hyaluronic acid gel. Int J Impot Res 2003; 15: 456−460.

- Elson ML. Soft tissue augmentation. A review. Dermatol Surg 1995;21:491−500

- Pollack SV. Silicone, Fibrel, and collagen implantation for facial lines and wrinkles. J Dermatol Surg Oncol 1990;16: 957−61

- Barton JL, Cunliff WJ. In: Rook A, Wilkonson DB, Ebling FJG, et al, editors. Textbook of Dermatology. Oxford, Blackwell; 1986;1870−1

- Knapp TR, Kaplan EN, Daniels JR. Injectable collagen for soft tissue augmentation. Plast Reconstr Surg 1977;60:398−405

- Comper WD, Laurent TC. Physiological function of connective tissue polysaccharides. Physiol Rev 1978;58:255−315

- Larsen NE, Pollak CT, Reiner K, Leshchiner E, Balazs EA. Hylan gel biomaterial: Dermal and immunologic compatibility. J Biomed Mater Res 1993;27:1129−34

- Richter W. Non−immunogenicity of purified hyaluronic acid preparations tested by passive cutaneous anaphylaxis. Int Arch Allergy Immunol 1974;47:211−7

- Richter AW, Ryde EM, Zetterstrom EO. Non−immunogenicity of purified sodium hyaluronate preparation in man. Int Arch Allergy Immunol 1979;59:45−8

- Balazs EA. Intercellular matrix of connective tissue. In Finch CE, Hayflick L, editors. Handbook of the biology of aging. New York: Van Nostrand Reinhold; 1977; pp 220−40

• Gibbs DA, Merrill EW, Smith KA, Balazs EA. Rheology of hyaluronic acid. Biopolymers 1968;6:777-91

• DeVore DP, Hughes E, Scott JB. Effectiveness of injectable filler materials for smoothing wrinkle lines and depressed scars. Med Prog Technol 1994;20:243-50

• Feinberg RN, Beebe DC. Hyaluronate in vasculogenesis. Science 1983;220:1177-9

PENILE SURGERY

음경확대 및 길이 연장

개요

개요

문두건 · 고려의대

일반적으로 음경확대술은 음경길이연장술과 음경둘레확대술로 나눌수 있는데 최근 국내에서 필러를 이용한 귀두확대술에 관한 연구와 발표를 지속적으로 함에 따라 귀두확대술도 음경확대술의 한부분으로 분류되기도 한다. 남성들은 이상적인 남성의 신체상에 관해서 음경의 크기도 중요하게 생각하고 있으며 여성들도 비정상적으로 큰 음경보다는 적당하게 큰 음경을 정상적이고 건강한 것으로 생각하고 있다. 음경의 크기는 인종에 따라 차이가 있으며 정상치에 관한 평균길이나 둘레도 다양하지만 의학적인 왜소음경은 신장길이 7cm 이하이거나 평균치의 2.5 SD 이상으로 작은 경우를 말한다. 대표적 음경확대술인 길이연장술중에서 걸이인대절단술은 약 2cm의 길이연장효과는 있으나 실제길이는 그대로인데 시각적으로만 늘어나 보이는 것이며 술 후 만족도가 낮고 합병증으로 추가 수술을 요하는 경우가 많다. 이로 인해 선천성기형이나 숨은음경등의 수술적교정을 위해 이차적인 술식으로 시행하는 경우가 아니라 정상모양의 음경길이연장에는 의학적 효과가 없는 것으로 평가되고 있다.

음경둘레 확대술은 선천성 왜소음경이외에도 굵기가 작아 성교 시 만족도가 떨어지는 경우 등에 있어서 길이연장술보다는 의학적 근거나 시술의 필요성이 인정되고 있다. 역사적으로 바셀린이 거세환자의 연부조직보강용으로 제일 처음 사용된 이후, 체내주사 후 65도 이상의 고온에서만 녹게되는 특성을 이용하여 파라핀이 사용되었고 1960년대 의학등급으로 개발된 실리콘이 1990년대까지 약 10만 명 이상의 환자들에게 광범위하게 사용되어 왔다. 실제 우리나라에서도 최근까지 파라핀이나 실리콘을 이용한 자가음경확대가 시행되어 왔으며 동남아에서는 현재에도 식물성 기름을 이용한 자가 음경확대가 성행하고 있다. 음경둘레확대술의 효과는 인정되나 불법시술이나 합병증으로 고통받는 환자들을 위해서라도 의학적으로 인정되고 있는 정상 음경확대술에 대한 일반인의 교육과 홍보가 필요하다. 이로 인해 파라핀이나 실리콘에 비해 비교적 안전하고 효과적인 음경둘레확대술이 계속 개발되어 왔다.

1990년대에 개발된 자가진피지방이식술은 바셀린이나 파라핀과 같은 이물반응은 없으나 침습적이고 공여부위 절개상흔이 남고 음경이식시 생착과정에서 발생하는 다양한 부작용과 술 후 만족도가 높지는 않았다. 이로인해 이식편의 준비과정이 필요없는 대체진피가 개발되어 자가 진피지방이식술에 비해 덜 침습적이고 공여부위 상흔 문제는 해결되었으나 대체진피생착과정의 합병증이나 술 후 만족도가 대체진피의 종류나 술자의 경험에 따라 다양하지만 현재에도 사용되고 있는 방법이다. 대체진피이외에도 조직공학적 기법을 이용하여 개발된 콜라겐 지지체(scaffold)와 각종 세포, 조직유래물질을 이용한 인조대체조직도 이용되고 있다.

음경피부를 절개박리하여 Buck's 근막위에 이식하는 대체진피이식술과 달리 절개없이 주사용 필러를 이용하는 음경둘레확대술은 가장 비침습적이고 간단하고 효과적인 방법이다. 단점으로는 술자의 경험과 숙련도, 필러의 특성에 따라 부작용이나 합병증이 결정되고 가격에 따른 시술자의 선호도가 달라지며 추가시술이 필요하다는 단점이 있다.

CHAPTER

01

음경길이 연장

배부연장술

정우식 · 이화의대

고대의 그림이나 서문을 보면 작은 음경이 더 좋은 것으로 묘사되기도 하였지만, 음경의 크기는 역사적으로 "남근정체성"이나 "남근중심사상" 등으로 늘 관심의 대상이었음을 보여주고 있다. 시대가 흘러 성에 대한 관념도 진화하면서 현대인들은 음경의 크기는 클수록 좋고, 남들에 비해 큰 음경을 갖고 싶어하는 것이 사실이다.

실제로 음경길이의 단축은 페이로니병에서 가장 많이 관찰되지만, 발기부전증 환자에서도 드물게 나타날 수 있으며 선천적으로 작은 외소음경, 방광외번증, 요도상열 등에서도 나타나고, 최근에는 전립선암이나 방광암의 근치적 제거수술 후 유착에 의해 많이 발생하게 되면서 음경길이 연장술에 대한 필요가 생기게 되었다. 따라서 수술을 통한 음경길이연장은 자신감의 회복에도 도움이 될 뿐만 아니라 배우자의 성만족도도 높일 수 있는 긍정적인 효과를 기대할 수 있겠다.

1. 병합수술

음경길이연장술의 기본 원칙은 발기상태가 아닌 이완상태의 음경이 앞쪽이나 아래쪽으로 길게 보이게 하는 것을 목적으로 삼는 것이다. 이를 위해 대부분 단순히 음경의 길이만 연장하는 것이 아니라 피부의 성형적인 교정도 함께 수행하게 된다. 예를 들어 상치골부위에 지방이 많거나 하복부가 나와있는 경우에 지방흡입술이나 하복부의 근막이나 인대를 절개 등을 통해 소기의 목적을 달성할 수 있다. 하복부나 상치골부위의 지방흡입술은 음경을 길게 보이게 하는 가장 쉽고 안전한 방법이라 할 수 있겠다.

　음경길이연장술의 기본은 걸이인대(suspensory ligament)를 절개하여 늘어지게 하고 음경상부 치골부위 피부의 V-Y도립성형술(inverted V-Y plasty)로 길이연장을 도모하는 것이다(그림 1). 이외에도 걸이인대나 고리인대(fundiform ligament)의 절개와 함께 음경추를 매다는 것을 이용하기도 한다.

　대부분의 길이연장술은 발기되지 않은 이완상태의 음경길이를 늘려주는 것이므로 수술 후 발기되었을 때의 음경길이에는 변화가 없으나, 술 전에 비해 발기된 각도가 조금 낮아지게 된다. 길이연장술에 대한 임상결과는 작게는 2cm에서 길게는 8cm까지 연장되었다고 보고하고 있으며 심각한 부작용은 없는 것으로 나타난다.

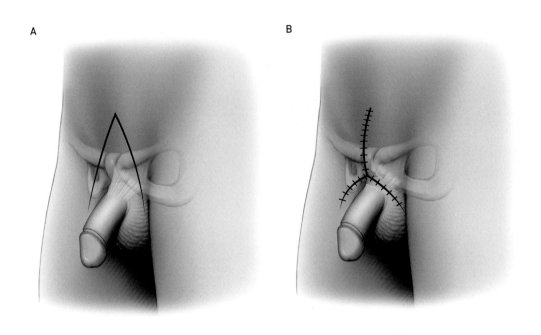

A　　　　　　　　　　　　　B

그림 1 걸이인대의 절개(A)와 V-Y도립성형술(B)의 병합으로 하는 음경길이연장술

2. 음경의 걸이체계(Suspensory system)

　음경의 걸이체계는 손상을 당했을 때 원상태로 수선해주는 것이 임상적으로 발기력을 회복

하는 데에 매우 중요한 역할을 담당한다. 이 음경의 걸이장치는 구별된 두 개의 인대로 구성되는데, 하나는 외측으로 피부쪽에 가깝게 위치하며 해면체의 백막과는 붙어있지 않는 고리인대이고 나머지는 해면체의 백막을 치골과 연결시켜주는 걸이인대이다. 걸이인대는 양쪽 외측의 둘레 다발과 음경의 배부정맥을 감싸는 하나의 중앙다발로 이루어진다(그림 2, 3).

걸이인대는 음경이 발기되어 배우자의 질내로 삽입하고 성교할 때에 필요한 음경의 특정 각을 유지하는 데에 결정적 역할을 담당한다. 걸이인대를 치골에서 분리함으로써 음경해면체를 앞으로 이동시킬 수 있고, 결과적으로 발기 시 음경이 더 앞으로 나오게 만들 수 있다. 걸이인대를 손대기 위해서는 먼저 고리인대를 만나게 되는데, 이는 전 복벽 스칼파씨 근막(Scarpa's fascia)의 연장으로서 백색선(linea alba)에서 음낭중격(scrotal septum)까지 음경을 둘러싸면서 지지하는 역할을 한다.

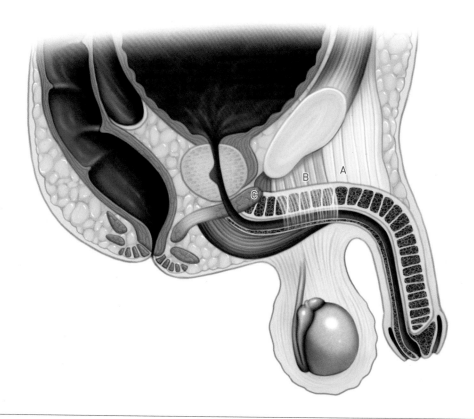

그림 2 음경의 걸이체계(시상단면). A: 고리인대, B: 걸이인대, C: 활꼴 치골상부인대(Reproduced from [Hoznek et al.,] by kind permission of the authors and of Springer)

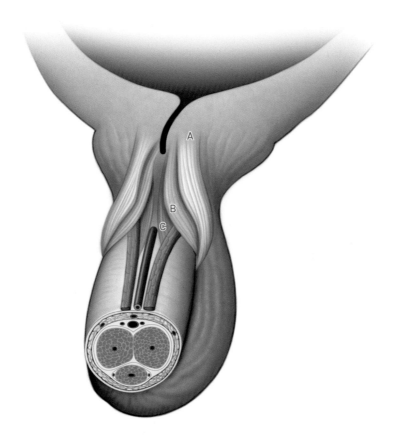

그림 3 음경의 걸이체계(전면에서 볼 때). A: 고리인대 B: 걸이인대의 측면다발 C: 걸이인대의 중앙다발(Reproduced from [Hoznek et al.,] by kind permission of the authors and of Springer)

3. 걸이인대와 고리인대의 분리

인대분리수술은 필요에 따라 진정제를 투여하면서 국소마취하에서 충분히 가능하다. 2% 리도케인 용액을 사용하여 음경의 원위부위에서 음경배부신경을 차단시키고, 필요한 대로 음경의 피하조직에 국소마취제를 주사한다. 요도관 삽입은 필요치 않다. 수술 후 항생제와 소염진통제를 며칠 복용시키고 약 4-6주간은 성관계를 피하도록 한다. 술과 담배도 약 2주 이상은 피하는 게 좋다.

두 종류의 절개방식이 선호되는데 치골하부나 음경의 근위부위를 절개하거나 아니면 음경의 원위부 혹은 음경의 관상하부 부위를 절개하는 것이다(그림 4, 5). 최근 특히 젊은 환자에서는 흉터없이 길이연장을 추구하는 경우가 많아 기존의 포경수술의 상처를 이용하는 경우가 많다. 하지만 피부전진피판술을 병용할 경우에는 치골하부 절개를 해야 한다. 이 때에는 다양한 형태의 피부전진술이 사용되는데, 음경쪽으로 V, M 혹은 Z형의 전진술을 사용한다.

음경해면체로부터 스칼파씨 근막의 표층을 예리하게 혹은 둔하게 박리해가면서 고리인대와 걸이인대를 가급적 보존하면서 분리해낸다. 고리인대와 걸이인대의 표재층을 가운데에서 절개하는데, 필요에 따라 더 많은 길이연장이 필요하면 걸이인대의 심층부의 일부도 절개를 가할 수 있다. 치골 하부의 고리인대를 모두 잘라내지 않더라도 길이연장이 가능한데, 이때 V-Y 도립 성형술을 추가하면 더 큰 효과를 얻는다.

걸이인대의 절개는 피하 4-5cm 부위의 심층부에 치골과 주변 골막에 두껍고 넓게 연결되어 있으므로 쉽지 않고, 박리와 절개 후에는 음경이 늘어지면서 치골하부에 넓은 빈 공간이 생기게 된다. 이 빈 공간을 잘 메꿔주지 않으면 음경과 치골이 다시 붙으면서 늘어난 길이가 줄어들거나 오히려 원래보다 길이가 감소하는 부작용이 있을 수 있다. 한편, 음경의 배부 혹은 복부의 경계부위에서 음경의 벅스근막이나 백막을 두 군데 정도에서 4-0 Vicryl 봉합으로 음경 피하조직에 고정함으로써 견축성 이동을 방지한다(그림 6-11).

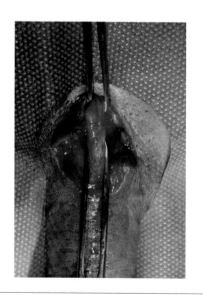

그림 4 절개위치: 음경치골 경계부 절개

그림 5 절개위치: 음경원위부 절개

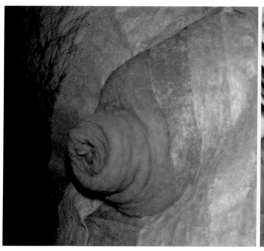

그림 6 수술 전 모양

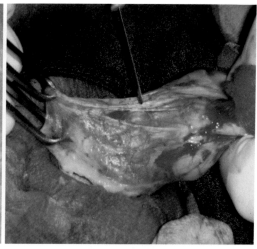

그림 7 음경근위부 주위 조직의 박리

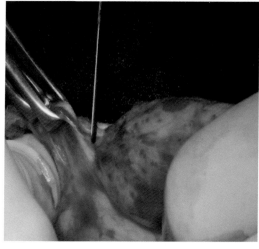

그림 8 고리인대 및 걸이인대의 절개

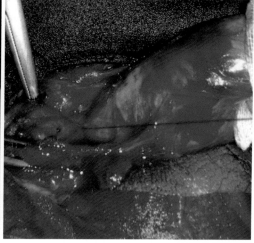

그림 9 피하 진피조직을 음경 배부의 벅스근막이나 백막에 고정

4. 인대 재유착의 방지

　걸이인대가 다시 유착되어 음경의 길이가 단축되는 것은 피해야 한다. 재 유착을 방지하기 위해서는 인대를 절개한 후에 생기는 치골과 음경사이의 공간은 주변의 연조직, 지방조직, 합성 테프론제재, 고어텍스 등의 인조 물질로 채워줄 수 있다. 공간을 채우는 데 주변조직이 충분치

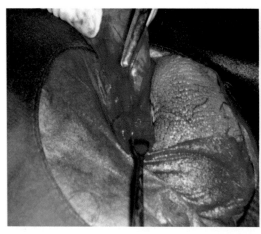
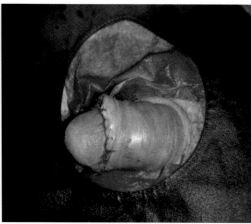

그림 10 피하 진피조직을 음경복부의 벅스근막이나 백막에 고정

그림 11 수술 후 모양

않다면 음경과 치골 사이에 지방피판이나 작은 크기의 인공고환을 사용하기도 한다. 수술 후 일정 기간이 지나면 인대절개후에 오는 재협착의 방지목적으로 추를 달아 사용하는 음경신장기를 착용하기도 한다. 수술 후 수개월 혹은 수년간 간헐적으로 사용하여 재유착방지는 물론 길이의 추가연장도 기대해 볼 수 있다.

5. V-Y 전진피판술

음경과 치골부위사이 공간을 넓히기 위한 방법으로 V-Y 성형술, Z 성형술, 다중 Z 성형술 등이 많이 사용되는 방법이다. 치골음경부위의 피부는 때로는 음경의 연장을 방해하는 역할을 하므로 이 부위의 피부를 음경쪽으로 전진시키기 위한 피판술이 고안되었다.

가장 많이 쓰이는 방법이 역V-Y 전진피판술로서(그림 1 참조) 국소마취하에 역 V자형의 절개선을 치골음경부위에 그리고 절개를 가한 후 피하조직층까지 박리한다. 이때 피판을 공급하는 혈관들에게 손상을 가하지 않도록 주의해야 한다. V자형 피판의 꼭지점 부위의 봉합때는 피하조직층만을 포함해서 양측의 피하조직과 고정시킨다. 모노필라멘트 4-0 나일론 봉합사를 이용하여 Y자형 피부를 봉합한 후, 드문 현상이지만 상처가 벌어지지 않도록 약 2주간을 유지한다. V자형 절개의 각은 60도 정도를 유지하기를 권장하는데, 그 이유는 너무 클 경우 길이 연장

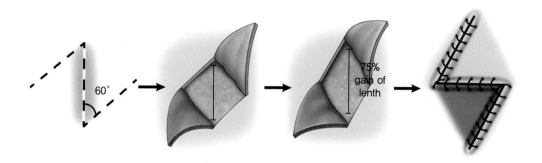

그림 12 Z-성형술의 술기

이 제한 받고, 너무 작으면 혈류공급이 좋지 않아 Y자형의 상처가 아무는 데 문제가 생길 수 있기 때문이다. 어느 정도 음경음낭전위가 있거나 치골상부 피하지방층이 두꺼운 경우에는 너무 아래쪽으로 치우친 피판은 음경 기저부위에 개의 귀(dog ears) 형태의 모양이 크게 나타나는 부작용이 생기므로 주의해야 한다.

이 피판술의 단점이라면 음경의 부종이나 피부의 괴사 가능성이다. 또한 음경이 너무 내려와서 음낭 내에 위치하게 되어 이상하게 보이거나 상처부위가 과도하게 구축되는 것이다. 전진된 피판이 음경피부에 비해 두껍거나 털이 포함된 경우 결과적으로 음경이 음낭에 묻혀 있는 듯한 모양으로 오히려 더 음경이 짧아 보이게 되고, 포경을 유발하기도 한다. 끝으로 Y자형의 끝지점에는 상처가 두껍게 비후되는 현상을 환자들이 자주 호소한다.

표 1 Z-성형술 각도에 따른 연장가능한 길이

Z-성형술 피판의 각도(°)	이론적으로 가능한 길이연장(%)
30	25
45	50
60	75
75	100
90	120

6. Z-성형술

Z-성형술 역시 음경인대를 절개한 후에 음경치골부위의 간격을 늘리는 데 이용해 왔다. 늘리고자 하는 축의 중앙의 세로축과 양측의 횡절개 축의 세 축으로 이루어지며 축간의 각도에 따라 늘어나는 정도가

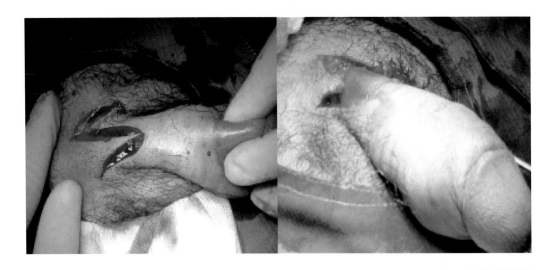

그림 13 치골상부의 Z-성형술을 이용한 음경의 길이연장의 예

달라지는데 전통적인 방법은 두 피판의 길이와 각도를 동일하게 만드는 것으로서 각도가 60도 인 경우에 약 75%의 길이연장효과를 볼 수 있다(표 1, 그림 12). 일반적으로 음경길이연장에 있어 음경치골부위에 적용하면 약 1-2cm의 길이연장을 기대할 수 있다(그림 13).

7. 수술 후 합병증

합병증을 줄이기 위해서는, 특히 경험이 많지 않다면, 수술할 때 많은 주의를 요한다. 음경부종, 창상열개, 감염, 혈종, 음경의 발기각 감소, 감각 소실, 음경단축 등의 합병증들이 나타날 수 있다. 그러나 적절한 술기를 택한다면 이런 합병증들은 많이 줄일 수 있다. 음경단축은 가장 심한 합병증 중의 하나로 치골의 높은 부위에 음경이 재유착되어 발생한다. 이는 앞에서 설명한 대로 주위 연조직, 지방조직, 고어텍스 등 인공물질 등으로 재유착을 방지하면 최소화할 수 있다.

참고문헌 ....

• Alter GJ, Jordan GH. Penile elongation and girth enhancement. AUA Update Series 2007;26:229–37

• Chang SJ, Liu SP, Hsieh JT. Correcting penoscrotal web with the v–y advancement technique. J Sex Med 2008;5:249–50.

• Dillon BE, Chama NB, Honig SC . Penile size and penile enlargement surgery: a review. Int J Impot Res 2008;20:519–29.

• Friedman DM. A mind of its own: A cultural history of the penis. New York: The Free Press; 2001.

• Hoznek A, Rahmouni A, Abbou C, Delmas V, Colombel M. The suspensory ligament of the penis: an anatomic and radiologic description. Surg Radiol Anat 20:413–7.1998

• Li CY, Kayes O, Kell PD, ChristopherN,Minhas S, Ralph DJ. Penile suspensory ligament division for penile augmentation: indications and results. Eur Urol2006;49:729–33.

• Panfilov DE. Augmentative phalloplasty. Aesthetic Plast Surg 2006;30:183–197.

• Roos H, Lissoos I. Penis lengthening. Int J Aesth Restor Surg 1994;2:89–96.

• Shaeer O, Shaeer K, el–Sebaie A. Minimizing the losses in penile lengthening: "V–Y half–skin half– –fat advancement flap" and "T–closure" combined with severing the suspensory ligament. J Sex Med. 2006;3(1):155–60.

• Shirong L, Xuan Z, Zhengxiang W, Dongli F, Julong W, Dongyun Y. Modified penis lengthening surgery: review of 52cases. Plast Reconstr Surg 2000;105:596–9.

• Van Driel MF, Schultz WC, Van de Wiel HB, Mensink HJ. Surgical lengthening of the penis. Br J Urol 1998;82:81–5.

• Vardi Y, Harshai Y, Gil T, Gruenwald I. A critical analysis of penile enhancement procedures for patients with normal penile size: surgical techniques, success, and complications. Euro Urol 2008;54:1042–50.

• Vardi Y, Lowenstein L. Penile enlargement surgery–fact or illusion? Nat Clin Pract Urol 2005;2: 114–5

CHAPTER

02

음경길이 연장

Penoscrotal septum 분리술

안순태 · 고려의대

본 시술은 음경의 기저에 부착된 음낭 중격을 박리함으로써 적은 침습성으로 손쉽게 음경의 길이를 연장시키는 방법이다. 기존의 널리 사용되는 음경길이 연장술인 걸이인대 분리술 또한 적은 침습성으로 용이한 수술 방법이지만 역설적으로 수술 후 음경의 단축이 발생할 수 있다. 걸이인대 절제술의 경우 수술 효과를 극대화시키기 위해 음경 해면체와 치골사이에 주위의 지방조직이나 보형물과 같은 완충제 삽입을 같이 시행하기도 하는데 이는 수술의 복잡합과 높은 침습성을 야기하게 한다. 또한 발기 중 음경 지지력 부족으로 성관계를 어렵게 한다는 단점을 가지고 있다. 이에 반해 음낭 중격 분리술은 음경의 지지력을 손상 시키지 않으면서 걸이인대 분리술과 동일한 음경길이 연장을 가져 올 수 있다. 또한 본 술식은 음낭-음경(penoscrotal)에 접근하는 소아 및 성인의 음경 수술에 손쉽게 동반하여 시행할 수 있는 장점이 있다.

1. Penoscrotal septum(음경 음낭 중격)

음낭 중격은 음낭의 가운데에서 양측 음낭의 근막(dartos fascia)이 융합되어 형성된 결체조직이다. 피부 바깥으로 음낭 중격은 음낭 솔기(median raphe)를 형성하며 내부적으로는 양측의 고환과 부고환을 구분짓는 중격을 형성하며 하측 및 후방 부분은 회음부로 연결된다. 상측 및 전방 부분은 조직 깊숙히 음경 기저의 복측에 부착되어 있으며 보다 더 깊숙히 음경의 기저부에서 윤상인대(fundiform ligamenet)를 형성하게 된다. 음낭 중격의 상측 및 전방 부분은 표면적으로 음경-음낭(penoscortal)의 윤곽을 명확히 하는 역할을 하게 된다.

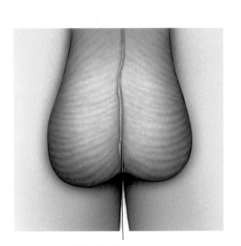

음낭 술기(median raphe)

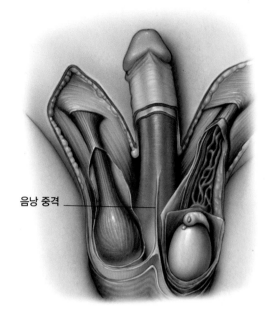

음낭 중격

그림 1 피부 표면에서 음낭 술기를 형성하는 음낭 중격, 음낭 조직 깊숙히 음경의 기저부에 부착된 음낭 중격

2. 마취

　음낭 및 음경 조직 깊숙히 수술 범위가 포함되므로 국소 마취보다는 전신마취 혹은 척추마취가 적절하다.

3. 수술 자세 및 준비

　음낭과 음경의 접근을 용이하게 하기 위해 저자는 쇄석위를 선호한다. 음경 근위부와 치골 주변의 음모를 제거한 다음 음경 주변을 충분히 소독한다. 술 중 요도를 식별하고 손상을 피하기 위해 요도 카테터 삽입을 권장한다.

4. 피부 절개와 접근

　포경수술이 시행된 경우에는 이전 수술의 절개선을 따라 시행하며, 그렇지 않은 경우는 음경 귀두관구(coronal sulcus) 근위부에 환상절개를 시행한다(그림 2). 음경의 표층 근막을 절개하고

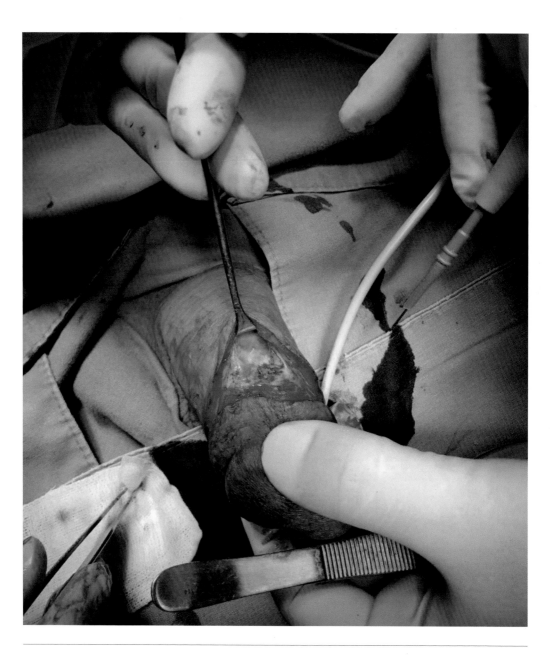

그림 2 환상 절개 후 음경의 표층 근막을 절개한다.

심층 근막을 따라 음경을 기저부까지 완전히 벗긴다. 음경의 심층 근막을 따라 음경 벗김을 실시해야 향후 음경-음낭 중격의 접근이 용이하다. 또한 저자가 환상 절개를 선호하는 이유는 본 술식을 소아의 숨은음경/매몰음경 혹 성인의 페이로니 병에 대한 음경 수술을 할 때 본 길이

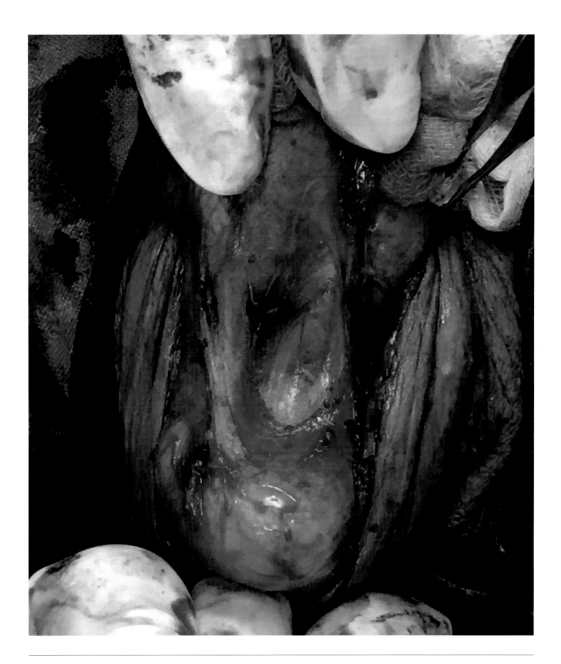

그림 3 음경 기저부 복면에 부착된 음낭 중격을 쉽게 노출시키기 위해 음낭의 피부를 하방으로 견인하고 음경은 반대측으로 견인한다.

연장 시술을 함께 할 수 있는 장점이 있기 때문이다. 또한 환상 절개를 통한 음경 피부의 완전 벗김은 비뇨의학과 의사에게 음경 수술의 가장 익숙한 접근법이기 때문이다.

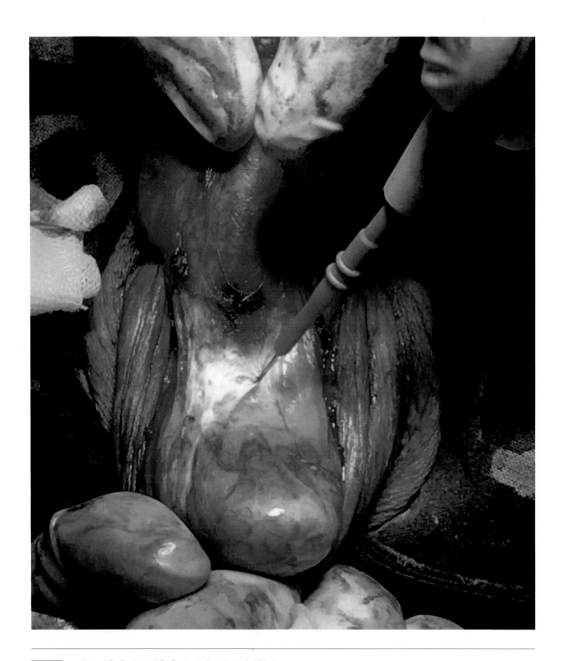

그림 4 보비를 이용 음낭 중격을 음경 기저부에서 박리한다.

5. 음낭 중격 확인 및 박리

음경 벗김을 음경의 기저부까지 시행하여 음경-음낭부위까지 도달 후 음낭 중격의 접근을 실시 한다. 우선 음낭의 중격(근막)을 노출시키고 확인하여야 한다. 이 단계에서 검지와 중지를 이

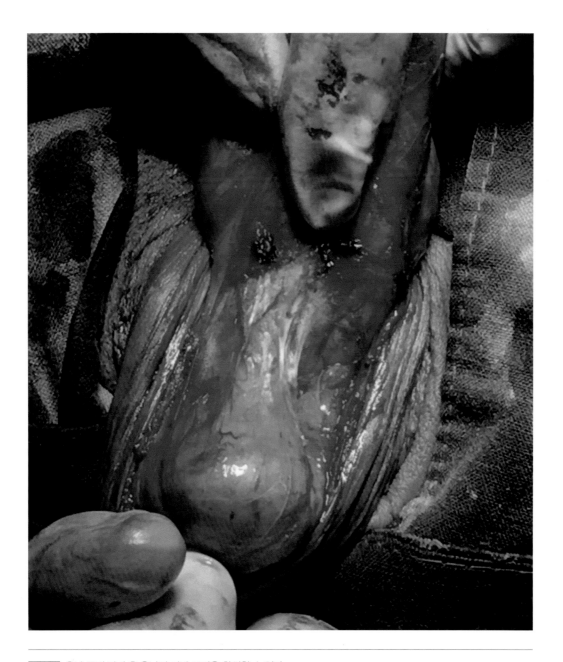

그림 5 음낭 중격 박리 후 음낭의 지방 조직을 확인할 수 있다.

용하여 음낭의 피부를 하방으로 견인하고 음경은 반대측으로 견인하면 보다 쉽게 상기 구조물

이 노출된다(그림 3). 위 방법으로 음경의 복면에 부착된 음낭 중격을 확인 후 보비를 이용하여

음낭 중격을 음경에서 분리하기 시작한다(그림 4). 음낭 중격을 올바르게 박리 및 분리하기 시작

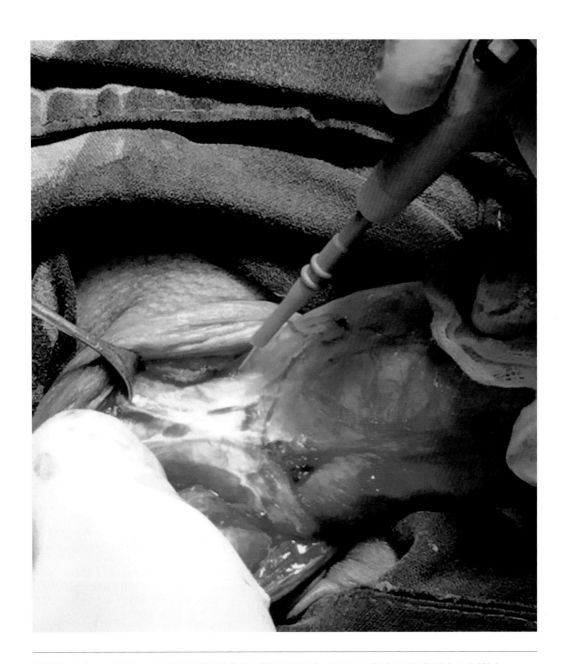

그림 6 측면으로 방향을 바꿔 견인하여 음경의 측면과 음낭 근막이 추가적으로 부착된 부위를 확인하고 박리한다.

하면 음낭의 지방 조직을 확인할 수 있다(그림 5). 음경 복면의 박리를 진행 후 두 손가락을 양측 측면으로 방향을 바꿔 견인하여 음경의 양측과 음낭 근막이 추가적으로 부착된 부위를 함께 박리시킨다(그림 6). 음경 기저부에서 완전한 음낭 근막 박리 과정의 목적은 향후 음경에 비정상적

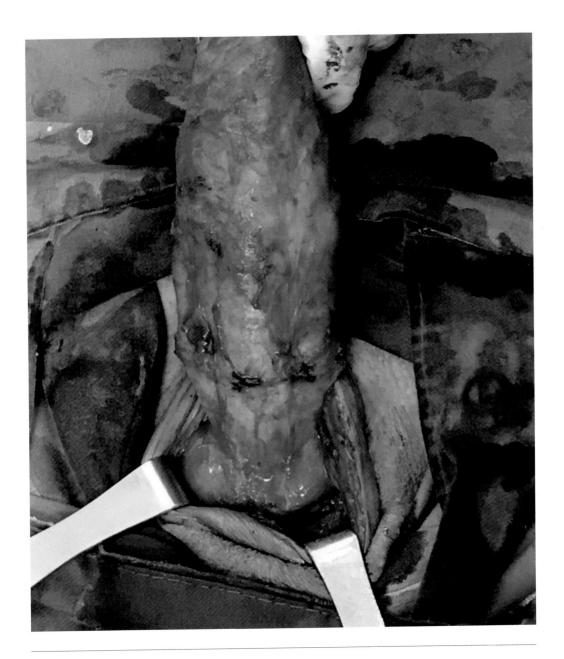

그림 7 음낭 중격을 음경 기저부로부터 완전히 분리한 후 모습

인 근막층(dartos layer) 부착을 방지하여 음경의 재단축을 막기 위함이다. 음낭 중격과 주변 음낭 근막층을 음경과 충분히 박리하였다면 아미 견인기(army retractor)를 이용하여 보다 깊숙히 부착된 음낭 중격을 음경에서 완전히 분리한다(그림 7).

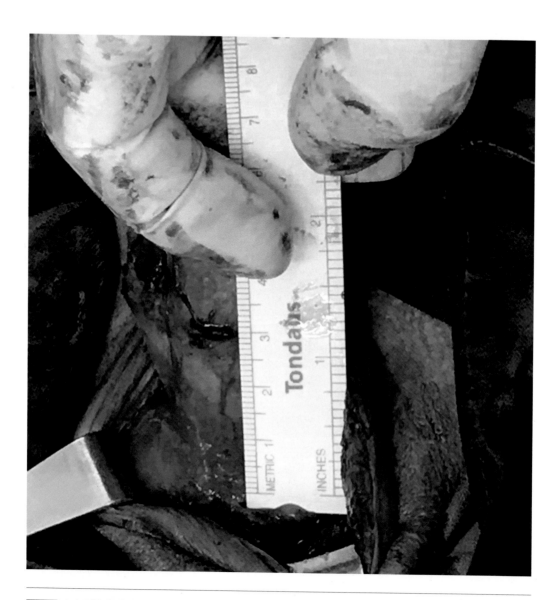

그림 8 수술 직후 음경 연장 길이 측정

음경 중격을 완전히 분리 후 자를 이용하여 새롭게 얻어진 음경 길이를 측정하여 향후 음경의 신장 길이를 예측할 수 있다(그림 8).

6. 상처 봉합과 드레싱

음경의 표층 근막을 봉합하고 음경 피부를 봉합한다. 음경피부 박리 시 발생한 출혈을 잘 소작하여 지혈하였다면 추가적인 출혈이 거의 없기에 드레인은 필요하지 않다. 상처 봉합 후 가벼운 압박드레싱을 시행한다.

7. 수술 후 환자 경과 관찰

압박 드레싱은 수술 후 48시간 정도 유지하도록 하며 환자 스스로 제거하지 않도록 교육한다. 수술 후 통상적인 수술 부위 통증과 부종을 호소할 수 있으나 대개 자연 소실된다. 통증의 경우 진통제가 필요하지 않으나 심한 환자의 경우 NSAIDs를 경구 투여하도록 하며 부종의 경우 술 후 첫 48시간 동안 아이스 팩(ice pack)을 수술 부위에 대는 것이 도움이 된다. 항생제는 7일간 유지하여 창상 감염을 예방시킨다. 대개 일상적인 활동은 수술 후 3-5일 후부터 허용하도록 하고 다소 힘든 활동의 경우 수술 후 4주 후부터 하도록 권장한다. 성행위 역시 한 달간 피하도록 하여 음경에 직접 가하는 압력이 없도록 한다.

참고문헌

- Campbell J, Gillis J. A review of penile elongation surgery. Transl Androl Urol. 2017;6(1):69-78.

- Cimador M, Catalano P, Ortolano R, Giuffre M. The inconspicuous penis in children. Nat Rev Urol. 2015;12(4):205-15.

- Hoznek A, Rahmouni A, Abbou C, Delmas V, Colombel M. The suspensory ligament of the penis: an anatomic and radiologic description. Surg Radiol Anat. 1998;20(6):413-7.

- Vardi Y, Har-Shai Y, Gil T, Gruenwald I. A critical analysis of penile enhancement procedures for patients with normal penile size: surgical techniques, success, and complications. Eur Urol. 2008;54(5):1042-50.

- Wessells H, Lue TF, McAninch JW. Complications of penile lengthening and augmentation seen at 1 referral center. J Urol. 1996;155(5):1617-20.

- Ahn ST, Lee DH, Jeong HG, et al. Scrotal septum detachment during penile plication to compensate for loss of penile length compared with conventional surgical technique. Investig Clin Urol 2020;61(2):224-230.

CHAPTER

03

둘레확대술

진피지방 및 대체진피이식술

박남철 · 부산의대

음경 둘레확대술의 역사적 배경은 그리 길지 않으며, 주요 수술방법들이 비뇨의학과나 성형외과 영역에서 흔히 시술되어온 음경수술, 성형수술, 이식수술, 미세수술 등의 술기를 복합적으로 응용한 술식이 대부분이다. 실제 음경 둘레확대술은 음경발기와 같은 기능적 개선을 추구하는 음경보형물삽입술과는 달리 음경 이완 시 외형적 확대나 성교 시 마찰감 증대 목적만을 추구하는 술식으로 시술의 일차적 목적은 형태학적 혹은 미용적 측면 즉 시각적 개선을 통한 환자의 심리적 만족감 획득에 있다.

음경의 둘레를 크게 하기 위해 과거에는 연성 혹은 액상물질, 고형 실리콘링 혹은 실리콘판 그리고 연골, 골, 지방 등의 인체 조직이 이용되어 왔다. 최근에는 합성 filler와 함께 진피지방과 같은 자가 인체 조직이나 대체진피와 같은 조직공학적 기술을 적용하여 새롭게 개발된 인공물질을 이용하는 방법들이 흔히 시술되고 있다. 진피지방이식술의 개발 역사를 보면 약 100년 전 Neuber (1893) 및 Lexer (1910) 등에 의해 지방이식술로서 처음 시도되었다. 그러나 지방이식술은 감염, 생착 실패 및 지방위축 등이 흔히 동반됨으로써 성기확대술에 보편적으로 적용하는 데는 한계가 있다. 이러한 지방 단독 이식의 문제점을 보완하기 위해 Peer (1967)는 연조직의 결손이나 기형을 교정하기 위한 성형술로서 진피지방이식을 처음 고안하였으며, Berson과 Bames (1953)는 진피지방근막이식, 나아가 Maliniac (1953)은 이식편에 대한 충분한 혈류공급을 위해 혈관 이식을 포함하는 유경(pedicled) 진피지방이식으로까지 발전시켰으며 최근에는 수술 성공률을 높이기 위해 미세수술 술기까지 적용되고 있다. 자가지방이식술(autogenous dermal fat graft)

을 이용한 성기확대술은 1980년대 중반 음경의 dartos근막 하부 조직 내에 지방주사법으로 시작되었으며, 진피지방이식은 1992년 Horton이 측복부에서 채취된 이식편을 이용하여 왜소음경의 교정수술로 처음 시도되었다. 이 장에서는 현재 가장 흔히 시술되는 음경 둘레확대를 위해 시술되는 진피지방이식술과 대체진피이식술에 대하여 기술하고자 한다.

1. 진피지방이식

자가진피지방이식술은 진피와 지방의 채취량이 인체 내에 풍부하고 채취방법이 용이할 뿐만 아니라 비교적 높은 조직생착률과 낮은 지방흡수율 등의 장점으로 인해 인체조직을 이용한 음경 둘레확대술 중 가장 흔히 시술되고 있다. 진피지방조직의 생착기전, 술 전 준비, 수술 방법, 합병증 및 대처방법은 다음과 같다.

1) 진피지방조직의 생착 기전

진피지방이식은 이식부의 피하조직 내에 이식하는 방법이지만 조직구성에서 말하면 진피와 지방의 복합이식이다. 이식 후 지방세포의 생착기전이 아직 완전히 밝혀지지는 않았지만 Peer에 의해 제안된 숙주세포치환설(host cell replacement theory)과 세포생존설(cell survival theory)이 있다. 숙주세포치환설은 이식된 지방세포는 일단 파괴되고 세포로부터 유출된 지방은 숙주(host)의 조직구(histiocyte)에 의해 흡수 제거된 다음 남아 있는 줄기세포로부터 새로운 지방세포가 발생된다는 가설인 반면, 세포생존설은 이식된 다량의 지방세포가 이식부의 진피하 혈관망과 이식된 진피내 혈관망의 미세 재결합(vascular microanastomosis)을 통한 풍부한 혈행에 의해 생존한다는 설이다. 지방과 함께 진피를 같이 이식함으로써 진피 쪽에서 이식 초기에 숙주-이식편 간 미세혈관 연결(host-graft vascular microanastomosis)이 조기에 이루어짐으로써 지방층의 생존에 필요한 혈액 공급을 가능하게 하는 것으로 알려져 있다. 특히 음경의 Dartos 근막과 Buck 근막은 풍부한 혈행으로 인해 이식편이 생착될 수 있는 적절한 기초(bed)조직을 제공한다. 이식편은 이식 후 첫 24-48시간 동안 혈장흡수(plasmatic imbibition)에 의해 생긴 체액으로 생존된다. 48-72시간 사이에 혈관이 증식되고, 이식 4일째 미세혈관에서의 혈액순환이 처음으로 관찰되고 술 후 6일까지 서서히 증가된다. 이때 많은 수의 조직구, 다핵구, 호산구, 형질세포 및 임

217

파구가 나타나며 조직구 이외의 다핵구는 유출된 지방을 탐식하는 작용을 한다. 술 후 10일경 이식부에서 새로운 미세혈관이 생성되며 주위에는 섬유아세포가 증가된다. 술 후 6-8개월에 부종이나 울혈소견은 완전 소실되어 정상 지방조직을 보이지만 이식편 주위에 섬유아세포를 포함하고 있는 섬유조직은 완전히 소실되지 않아 피막화된 지방종(encapsulated lipoma)의 양상을 띄게 된다. 이식편에 생착되지 못한 경우에는 숙주세포 삼출액이 술 후 한 달 이상 관찰되며, 이들은 증가된 조직구 및 거대세포에 의해 지방세포와 함께 탐식된다. 이러한 경우 이식된 지방세포는 술 후 1개월 내에 대부분이 흡수되고 1년경에는 반흔조직만 남게 된다.

2) 술 전 준비

술 전 1주일 이상 금연과 함께 술 전 2~3주부터 저지방식을 하여 지방세포가 최소한의 지방을 함유하도록 한다. 지방함유량이 적을수록 파괴된 지방세포로부터의 지방 유출이 감소되어 수술조작을 용이하게 하고 이식된 지방조직의 생착률을 높일 수 있다. 따라서 비만환자보다 여윈 환자에서 채취된 진피지방조직의 생착 성공률이 높다. 동시에 이식부와 채취부의 피부소독을 철저히 하고, 술 전 항생제를 투여한다.

3) 수술방법(그림 1)

수술과정은 피부이식의 개념과 기본적인 외과적 술기만 갖추어져 있다면 큰 어려움 없이 수행될 수 있다.

① 이식편의 채취

술 전 샤워와 함께 진피지방 채취부위의 철저한 소독이 필요하다. 국소 혹은 전신 마취하에 채취에 적절한 체위로 환자를 위치한다. 이식편 채취 부위는 둔부의 주름상하부, 하복부, 측복부, 내대퇴부 또는 상완 내측부가 선택된다. 둔부는 풍부한 조직이 있고 술 후 절개부가 잘 보이지 않는다는 장점이 있지만 수술 중 자세를 바꾸어야 한다는 불편한 점이 있다. 절개에 앞서 음경의 길이와 둘레에 따라 이식편의 채취부위를 수술펜으로 표시한다. 이식편의 크기는 이식부의 크기를 기준으로 하되 지방흡수율을 고려하여 20-30% 많은 양을 채취하는 것이 적절하며

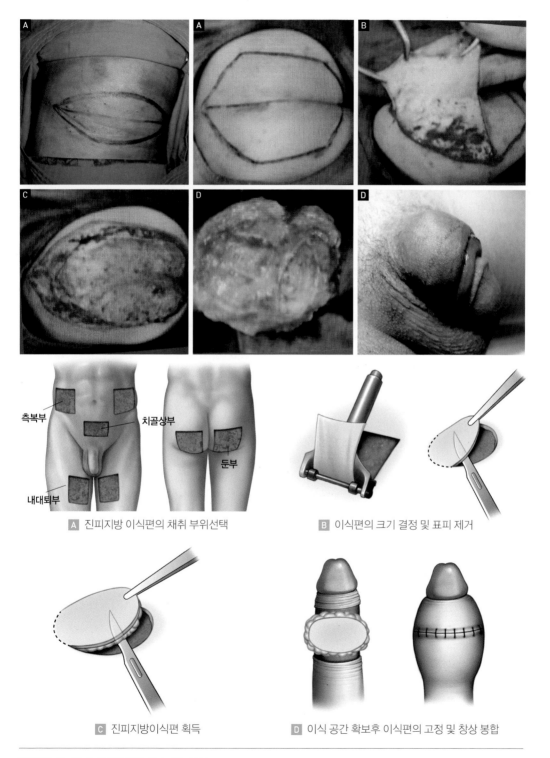

A 진피지방 이식편의 채취 부위선택

측복부　치골상부　둔부　내대퇴부

B 이식편의 크기 결정 및 표피 제거

C 진피지방이식편 획득

D 이식 공간 확보후 이식편의 고정 및 창상 봉합

그림 1 음경둘레 확대를 위한 진피지방이식술

작은 여러 조각보다는 하나의 큰 덩어리가 지방 흡수율을 줄일 수 있다. Reese Dermatome set (14/1000th inch), Bard-Parker size 15번 수술도 또는 면도칼을 이용하여 이식부의 크기에 맞게 적절히 타원형으로 제도된 채취부를 thin split thickness법으로 표피(epidermis)를 제거한다. 이때 표피와 함께 부분적으로는 표제부 진피층도 같이 절제될 수 있다. 이식된 지방의 흡수율은 수술조작 시의 외상에 비례하므로 채취된 지방에 불필요한 조작이나 손상을 피하여 지방세포 손상을 최소화하여야 한다. 진피지방층을 외과용 가위 또는 수술도로 절제하여 채취 후 지혈한 다음 항생제가 든 생리식염수가 충분히 적셔진 거어즈로 덮어 둔다.

이식편 채취 시 근막을 같이 채취하면 혈행이 잘 보존되고 삼출물의 흡수를 촉진하는 장점이 있다. 그 외에도 유리이식(free graft)의 결점을 보완하기 위해 미세혈관수술의 술기를 도입한 유경이식(pedicled graft)이 시도될 수 있다. 이 경우 음경으로부터의 거리상 표재부 외음부동맥의 상치골 분지(suprapubic branch of superficial external pudendal artery)에 의해 영양되는 paramedian flap의 진피지방이 비교적 쉽게 이용된다. 유경 진피지방이식술은 술기상의 어려움이 있지만 이식편에 대한 충분한 혈류 공급으로 인해 지방세포의 흡수가 적고 다량의 지방을 이식할 수 있다는 장점이 있다.

② 이식부 절개

이식부는 가능한 빠른 시간 내에 음경의 관상구 하부의 피부를 환상절개 또는 종절개한 다음 혈관, 임파관, Dartos 근막의 손상을 최소화하면서 Buck 근막층까지 박리하여 피하조직 하부에 진피지방이식편이 위치할 충분한 공간(pocket)을 Dartos와 Buck근막 사이에 확보한다(그림 2). 이어서 반흔조직을 충분히 절제하고 출혈이나 혈전을 완전히 제거함으로써 이식된 조직으로 혈류공급을 원활하게 할 수 있다. 수술효과를 극대화하기 위한 보조적 방법으로 술 전에 피부확장기(penile stretcher, external cutaneous expander)를 이용하여 이식편이 유치될 공간을 넓게 함으로써 술 후 이식편 혹은 음경 피부 괴사를 방지하거나 생착률을 높일 수 있다.

③ 이식편의 고정 및 봉합

채취된 이식편은 가능한 빨리 이식함으로써 조직의 건조를 막고 감염의 기회를 줄일 수 있

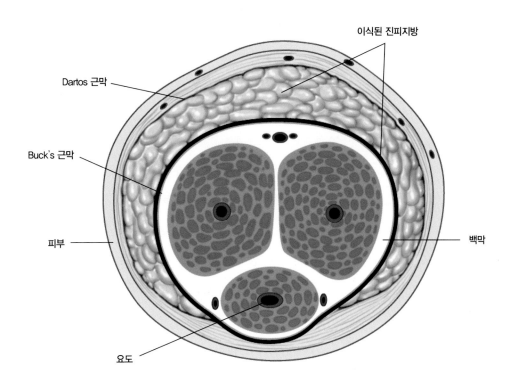

이식된 진피지방

Dartos 근막

Buck's 근막

피부

요도

백막

그림 2 음경 종단면의 해부학적 구조 및 진피지방이식 공간

다. 이식편은 일반적으로 진피부위를 이식부 기저부에 병행하게 놓는 방법(juxta-position)이 흔히 이용되지만 때로는 거꾸로 놓는 방법(reversed position)도 가능하다. 거꾸로 놓는 방법은 이식편의 지방층이 과도한 경우 쉽게 지방층의 크기를 줄일 수 있다는 장점이 있다.

진피지방이식편을 충분한 크기로 확보된 pocket에 유치한 다음 6시, 12시 방향 그리고 음경 복부에서 이식편을 4-0 Vicryl로 고정 봉합을 한 뒤 지방이 돌출되지 않도록 피하조직, 피부 순으로 각각 4-0 Vicryl로 조밀하게 봉합한다. 이때 피하조직의 봉합층이 두꺼울수록 피부장력이 적을수록 술 후 창상파열 및 진피지방이식편 돌출이나 이동, 감염, 혈종, 임파종 등이 예방될 수 있다. 술 중 항생제가 섞인 생리식염수로 수술부위를 충분히 세척하는 것도 감염 예방에 도움이 된다.

④ 채취부의 봉합

채취부의 심부 지방층은 4-0 Chromic으로 단속 봉합한 뒤 피하조직은 4-0 Vicryl로 봉합한 뒤 피부는 5-0 nylon vertical mattress 또는 American법으로 봉합한다.

⑤ 술 후 드레싱 및 처치

봉합된 창상은 Mediform과 거어즈로 덮은 다음 Coban band로 경도의 압박 드레싱을 한 상태에서 약 5일간 방치한다. 요도카테터를 유치하였다면 술 후 1일에 제거하고, 감염방지를 위해 경구용 항생제를 5-7일간 투여한다. 술 후 2주간 흡연, 음주 그리고 과도한 활동을 제한하고 필요한 경우 비타민 B_{12}나 L-carnitine 등의 약물 투여가 신경혈관재생에 도움이 될 수 있다.

4) 합병증 및 대책

① 부종 및 발적

술 후 초기에 암적색 혹은 암갈색을 띤 부종과 함께 음경피부가 윤이 나거나 반상출혈이 관찰된다. 대부분이 가벼운 압박 드레싱으로 자연소실 된다. 삼출액이 고인 경우 주사침 흡입이 필요하다. 심한 경우 부종이나 발적은 술 후 6주까지 지속되며 대부분이 자연치유 된다.

② 감염

감염을 예방하기 위해서는 채취부 및 이식부의 피부소독을 철저히 하고 술 전에 항생제를 투여하는 것이 중요하다. 이식부위에 감염이 동반되면 지방은 용해되어 소실되고 진피는 괴사되는 과정을 거치게 된다. 광범위한 감염으로 판단되면 조기에 이식편을 제거한 다음 최소 3개월 이후에 재수술 계획을 마련하여야 한다. 진피지방이식편의 두께가 1cm 이상인 경우 이식편이 위치한 상부의 dartos 근막 및 피부가 압박되어 생긴 정맥 울혈로 인해 감염, 피부괴사 등이 합병될 수 있다.

③ 피부괴사, 창상파열, 지방돌출

봉합창상의 가장자리가 과도한 양의 이식편 유치로 인한 높은 장력으로 생긴 혈류장애로 인해 피부괴사가 나타날 수 있다. 임상적 적응이 된다면 이식편의 부분절제, debridement 후 재봉합이 필요하다.

④ 음경굴곡

이식편의 부분괴사 혹은 대칭적 유치 실패로 인해 음경 비대칭으로 굴곡될 수 있다. 이식편의 대칭적 유치 실패는 이식부를 종절개 하였거나 반환상 절개 시에 종종 동반될 수 있다. 심한 음경굴곡이 있는 경우 피부성형 혹은 재이식술이 신중히 고려되어야 한다.

⑤ 표피낭종

진피지방이식은 신경이나 혈관이 없는 표피만 제거하므로 진피내의 pilomotor muscle, 모낭 그리고 피지선 등의 피하선이 영구적으로 남게 된다. 하지만 피지선은 2주 내, 모낭은 2개월 내에 퇴행성 변화에 의해 소실되는 반면 한선은 1년 이상 남아 기능하는 것으로 알려져 있다. 따라서 표피낭종은 대개 술 후 2주경에 피지선 혹은 모낭으로부터 발생되지만 결국에는 파열과 탐식의 과정을 거쳐 대부분 섬유화되거나 소실된다. 심한 경우 18G 주사기로 한두 번 천자하면 대부분이 자연소실 된다.

⑥ 장액종(seroma)

파괴된 지방세포에서 유출된 지방이 고여 발생하며 적은 양인 경우 대부분 자연흡수 되지만 주사기로 천자하는 것도 도움이 될 수 있다.

⑦ 이식편의 흡수

술 전 2-3주부터 저지방식을 하여 지방세포가 소량의 지방을 함유하도록 하여 파괴된 세포로부터의 지방유출을 감소시켜 수술조작을 용이하게 하거나 지방세포의 생착률을 높일 수 있다. 이식 후 조직흡수율은 조직에 따라 다른데 지방, 진피지방 및 진피이식 후 조직흡수율은 각각 50%, 20-30% 및 15-20% 정도 되는 것으로 알려져 있다. 따라서 지방흡수율을 고려하여 그만큼 많은 양을 채취하는 것이 적절하다. 그 외에도 채취된 이식편은 작은 여러 조각보다는 하나의 큰 덩어리가 지방 흡수율을 줄일 수 있다.

⑧ 이식편 석회화

비교적 드문 합병증으로 이식 수년 후에 가수분해된 지방산 및 비용해성칼슘 및 칼슘염이 혼합되어 생긴다. 자각증상이 없으며 방사선 촬영으로 우연히 발견되는 경우가 많다.

2. 대체진피이식술

음경 둘레확대술에 이용되는 대체진피는 시트 모양의 재질로 된 무세포진피기질(acellular dermal matrix)이 시판되어 널리 이용되고 있다. 무세포진피기질은 인체나 동물의 세포외 기질(extracellular matrix)과 동일한 생화학적 성분과 구조를 유지함으로써 얻어지는 높은 조직 재생 효과로 인해 화상 관리, 유방성형술, 안면 성형술, 복벽 결손, 탈장 수술, 언청이 수술과 같은 재건 수술에 흔히 이용되어 왔다. 그 외에도 이식 후 높은 생착률과 낮은 합병증으로 인해 음경 둘레확대수술에도 널리 적용되고 있다. 무세포진피기질은 현재까지 기증된 사람 사체, 돼지 혹은 소의 피부나 심근막으로 만들어진 것이 FDA 허가 하에 국내에서도 시판되고 있다. 이중 사람 사체 피부를 사용한 대체진피로 AlloDerm (LifeCell Laboratories, Branchburg, USA), MegaDerm (L&C BIO, Seongnam, Korea), SureDerm (Hans Biomed, Daejeon, Korea), 돼지 피부를 이용한 제품은 Permacol (Covidien, Mansfiled, USA), MegaDerm Ultra (L&C BIO, Seongnam, Korea), 소 태아의 진피를 이용한 SurgiMend (TEI Biosciences Inc, Boston, USA), 소의 심근막을 이용한 Lyoplant (B. Braun Aesculap, Tuttlingen, Germany) 등이 있다. 대체진피이식술의 기본적인 원칙은 진피지방이식술과 동일하여 감염 예방, 대체진피 상부를 덮는 충분한 양의 피하조직 확보 및 술 후 관리가 중요하다. 주요 수술 과정은 다음과 같다(그림 3).

1) 대체진피의 술 전 처리

수술 최소 20분 전에 항생제가 섞인 생리식염수에 대체진피를 담구어 수화시킨다. 이어서 환자의 혈액을 대체진피의 양면에 도포한 다음 한쪽 면은 생리식염수로 세척하여 혈액을 제거하고 다른 면은 혈액을 남겨 둔 상태에서 요도해면체 부위를 제외한 음경의 둘레 길이와 음경 이

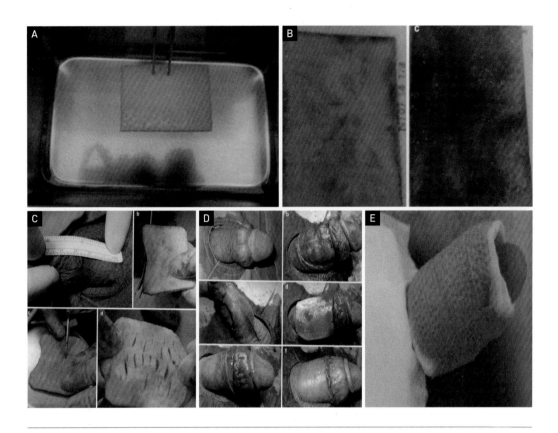

그림 3 음경둘레확대를 위한 대체진피이식술. A: 대체진피의 수화과정, B: 대체진피 한쪽면에 혈액 도포, C: 음경 크기에 따른 대체진피 재단 및 mesh 절개, D: 수술부 국소마취, 환상절개, 이식공간 확보 및 창상봉합, E: Coban 밴드를 이용한 압박 드레싱

완상태에서 음경 기저부에서 관상구까지의 길이에 따라 이식할 대체진피를 크기를 결정하여 재단하여 절단한다.

2) 이식부 절개 및 대체진피 이식

　이식부 절개 후 대체진피가 위치할 충분한 공간과 상부 피하조직의 확보는 진피지방이식술과 같이 이식편의 생착 및 창상 치유에 매우 중요하다. 대체진피의 완전한 생착을 돕기 위해 이식하기 전에 대체진피에 다수의 mesh 절개창을 만드는 것이 좋다. 이어서 대체진피의 혈액을 남겨둔 면이 Buck 근막 쪽으로 향하도록 위치한 다음 고정 봉합 후 피하 조직과 피부를 미세혈관이나 임파관의 손상을 최소화하면서 봉합한다.

3) 합병증

합병증의 종류와 예방, 치료법은 진피지방이식술과 대동소이하지만 대체진피이식술에서는 진피지방이식술 보다 중증의 감염이나 섬유화증이 발생할 빈도가 높고 감염된 대체진피의 제거는 심한 유착으로 인해 용이하지 않으므로 사전 예방에 보다 유의하여야 한다.

참고문헌

• 박부경, 박현준, 박남철. 자가진피지방이식술에 의한 성기확대술의 장기만족도. 대한비뇨회지 2003;44(Suppl):237, abstract p204

• 이무연. 진피지방이식을 이용한 음경확대술 1,021례에 대한 고찰. 대한비뇨회지 1997;38(Suppl):121, abstract p30

• Alter GJ. Penile enlargement surgery. Tech Urol 1998;4:70-6

• Bames HO. Augmentation mammoplasty by lipo-transplant. Plast Reconstr Surg 1953;11:404-14

• Berson MI. Reconstruction of breasts. Bol Asol Med PR 1962;54:75-81

• Chiu DTW, Edgerton BW. Repair and grafting of dermis, fat and fascia. In: McCarthy JG, editor. Plastic surgery. Philadelphia: W. B. Saunders;1990;508-26

• Cho KS. Augmentation phalloplasty using dermal fat graft: experience of 617 cases. J Urol Suppl 1998;159:223, abstract 863

• Maliniac JW. Use of pedicle dermo-fat flap mammoplasty. Plast Reconstr Surg 1953;12:110-5

• Moon DG, Kwak TI, Cho HY, Bae JH, Kim JJ. Effects of injectable hyaluronic acid gel in augmentation of glans penis. Kor J Androl 2003;21:38-43

• Park NC. Augmentation penoplasty with autogenous dermal fat graft. Korean J Urol 1998;39:694-7

• Peer LA. Transplantation of fat. Plast Reconstr Surg 1967;1:109-11

• Perovic SV, Djordjevic MLJ, Kekic ZK, Djakovic NG. Penile surgery and reconstruction. Curr Opin Urol 2002;12:191-4

• Trockman BA, Berman CJ, Sendelbach K, Canning JR. Complication of penile injection of autulogous fat. J Urol 1994;151:429-30

• Wessells H, Lue TF, McAninch JW. Complication of penile lengthening and augmentation seen at 1 referral center. J Urol 1996;155:1617-20

• Woo HS, Koo SH, Ahn DS. Lengthening and girth enhancement surgery for micropenis. Korean J Plast Surg 1996;23:1432-42

둘레확대술

필러주사

문두건 · 고려의대

대체진피이식술과 달리 주사용필러의 음경확대효과는 필러의 종류, 술자의 경험을 통한 주사기술과 면역염증반응에 의해 결정된다. 필러의 종류로는 2000년대 초부터 귀두확대술 및 안면 미용성형에 가장 많이 사용된 히알루론산 필러가 가장 안전하다. 국내의료법상 의료기로 분류되는 필러는 인체 조직수복용으로 허가를 받으면 모든 부위에 시술자의 재량껏 사용할 수 있다.

최근 국내에서 개발된 필러는 음경둘레확대나 귀두확대용으로 식약청의 허가를 받았다. 국내외로 가장 먼저 음경둘레확대술에 사용된 주사용 필러는 Qmed의 히알루론산젤(Perlane, Restylane)이며 최근 국내사의 제품은(구구필 휴젤/한미약품, 포텐필 메디톡스, 엘라비에 휴온스) 음경둘레확대용으로 한국식약청의 허가를 받았다. 음경둘레확대용으로 한국식약청의 허가를 가장 먼저 받은 국내제품은 벨라젠이고 이후 음경둘레확대용으로 파워필과 라이펜이 있고 라이펜은 귀두확대용으로도 허가를 받았는데 이들은 모두 히알루론산 제품은 아니다. 즉, 현재 사용가능한 필러 중에서 한국 식약청 허가를 받았다고 해서 모두 해당장기에 안전하게 사용할 수 있는 것도 아니고, 해당장기에 사용허가를 받지 않았다고 해서 사용할 수 없는 것도 아니다. 각 필러마다 특성이 다르므로 필러 선택에 대한 연구자의 지식과 지혜가 필요하다.

벨라젠과 파워필은 비히알루론산 충전제 분말을 주사전 식염수, 리도카인, 항생제 함유물과 함께 주사기 두개를 통해서 손으로 고루 섞어 준 다음 주사한다.

따라서 아무리 열심히 섞어 준다고 해도 균일하게 섞이지 않을 뿐 만 아니라 주사직후에는 식염수로 인해 과도하게 커지고 수일 내로 식염수가 흡수되면 크기는 줄어들고 이식분말이 피하에 고루퍼지지 않고 한쪽으로 몰리거나 엉키게 된다. 또한 벨라젠은 시장에서 이미 퇴출되었으며 파워필은 아직 식약청 허가제품으로 이용 가능하지만 시술 후 울퉁불퉁하고 딱딱한 덩어리나 결절로 뭉치는 경우가 대부분이므로 추가 교정시술의 효과도 확실하지 않고 이에 따른 만족도나 선호도가 낮다. 라이펜도 히알루론산 젤에 비해 경도가 높아 이를 선호하는 경우는 있으나

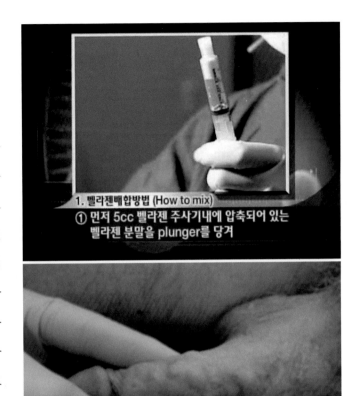

그림 1 A: 벨라젠 주입 방법, B: 라이펜 주입 후 장기 부작용

단점은 비슷하고 피하결정화되어 있는 경우가 많아 교정이나 제거가 쉽지는 않다.

모든 필러는 시술 전 포경수술을 하지 않은 환자에게는 귀두포피로 주사한 필러가 이동되어 시술 후 귀두 노출이 어렵거나 귀두포피염의 발생가능성에 대한 주의와 함께 포경수술을 시행하고나서 3-6개월 후 시행하는 것이 좋다.

시술 시 음경부 제모는 필요없고 시술부위 음경에 5% Emla 크림(lidocaine 25mg+prilocaine 25mg) 도포 후 30분 경과 후에 시작하는 것으로 충분하지만 환자가 못 견디는 경우에는 배부 신경총 마취를 추가로 시행하는 것이 좋다.

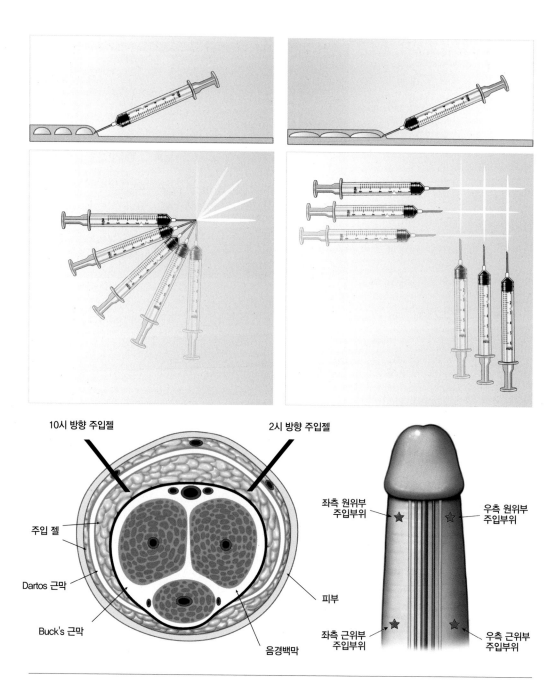

그림 2 주사바늘을 이용한 피하주입술기와 음경둘레확대술 시 필러주입부위와 주사바늘의 주입 위치

주사시에는 21G 주사바늘을 이용하여 피부 관통창을 만들어두고 22G cannula를 이용하여 음경피하에 필러를 주입한다. 이때 육안으로 볼 수는 없지만 Buck's 근막과 Dartos 근막 사이의

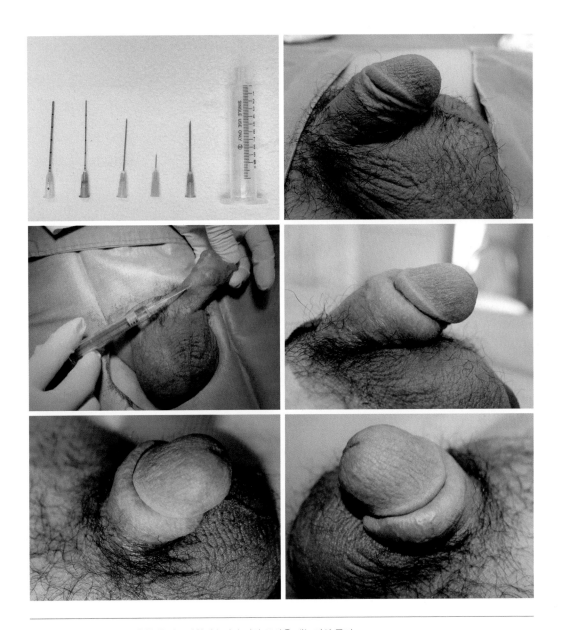

그림 3 주사용 필러를 이용한 음경둘레확대술의 술기와 주사용 캐뉼러와 롤러

공간에 주입한다는 기분으로 주입바늘을 움직여 가면서 필러주입층이 고루 부풀어 오르는 것을 확인하면서 주입한다. 귀두확대술이나 안면피부미용성형주사 시에는 그림과 같은 주사기법이 필요하지만 음경체부확대를 위한 캐뉼러 주입 시에는 한군데 주사관통창을 통해 가능한 많은 범위내에 주입하는 것이므로 Back & Forth와 Fanning을 병합하여 사용하는 것이 좋다.

주사주입부위는 좌우측 2시와 10시 방향에서 귀두부 원위부에서 음경기저부쪽과 음경기저부쪽에서 귀두 원위부쪽으로 4군데에서 주사 및 주입하는 방법과 음경체부 중간에서 양측 두 군데를 통해 피부관통창을 만들고 캐뉼라를 이용하여 근위부와 원위부 양측으로 필러를 주입하는 방법이 있다.

회사별 제품에 따라 개별포장용량이 다르지만 전체 주사용량은 15-20ml를 주입하고 주사기나 적당한 원통으로 음경피하 주입필러를 눌러가면서 음경배부중심 피하에 고루 분포되도록 펴준다. 이때 주입한 필러가 귀두원위부 요도쪽으로 가지 않게 한다. 주사부위 베타딘 소독후 거즈로 감고 압박붕대로 적당히 감아준다. 너무 심하게 감아 원위부 말단과 근위부 말단으로 필러가 이동하지않게 한다. 원칙적으로 항생제나 소염진통제는 필요없으나 3일치 정도 처방하고 3일 후 드레싱은 제거한다. 샤워 등은 3일 후부터 가능하며 2-4주 후 필러의 이동이나 쏠림등에 의한 분포를 감안하여 2차 교정시술을 해 주는 것이 좋다. 특별한 부작용이 없는 한 성관계는 4-6주 후부터 가능하다.

참고문헌 ....

• Moon DG, Yoo JW, Bae JH, Han CS, Kim JJ. Sexual function and psychological characteristics of penile paraffinoma. Asian J Androl Sep;5(3):191–194, 2003

• Kwak TI, Oh MM, Kim JJ, Moon DG. The effects of penile girth enhancement using injectable hyaluronic acid gel, a filler. J Sex Med 2011.

• Yang DY, Lee WK and Kim SC. Tolerability and efficacy of newly developed penile injection of cross-linked dextran and polymethylmethacrylate mixture on penile enhancement: 6 months follow-up. International Journal of Impotence Research (2012) 25, 99–103

• Kim MT, Ko KT, Lee WK, Kim SC, Yang DY. Long-term safety and longevity of a mixture of polymethylmethacrylate and cross-linked dextran (Lipen-10®) after penile augmentation: extension study from 6 to 18 months of follow-up. World J Mens Health 2015 December 33(3): 202–208

• Park NC, Kim SW, Moon DG. Penile Augmentation. 1st Ed. Berlin: Springer; 2016

찾아보기